CONTES DE LA BÉCASSE ET AUTRES CONTES DE CHASSEURS

LIRE ET VOIR LES CLASSIQUES

collection dirigée par Claude AZIZA

Guy de MAUPASSANT

CONTES DE LA BÉCASSE et autres CONTES DE CHASSEURS

Préface et commentaires par
Hélène LASSALLE et Annie SOLER

PRESSES POCKET

Le dossier iconographique a été réalisé par
Anne GAUTHIER et Matthieu KERROUX

ISBN 2-266-04331-5

PRÉFACE

C'est en mars 1883 que Guy de Maupassant signa, avec les éditeurs Rouveyre et Blond, un contrat d'édition, aux termes duquel l'écrivain, qui voulait profiter du succès de son recueil précédent, *Mademoiselle Fifi*, devait fournir « un volume d'environ 300 pages, type du volume *Mademoiselle Fifi*, édité par Monsieur Victor Havard ». Quinze des textes qui composent ce recueil, intitulé par l'auteur *Contes de la bécasse*, avaient paru auparavant dans deux journaux, *Gil Blas* et *Le Gaulois*, entre avril 1882 et février 1883.

En avril 1883, Maupassant proposa à l'éditeur, pour étoffer le recueil, d'y adjoindre deux autres contes : *Saint-Antoine*, publié en avril 1883 dans *Gil Blas*, et *L'Aventure de Walter Schnaffs*, paru dans *Le Gaulois*, le même mois.

L'ouvrage fut bien accueilli par le public, puisque sept tirages furent assurés la première année, et que Maupassant ne toucha pas moins de 2 500 francs de droits d'auteur en quelques mois.

Ainsi donc, alors que ces contes n'avaient pas vocation d'être publiés ensemble, Maupassant, sous ce titre unique de *Contes de la bécasse*, a semblé vouloir donner une certaine cohérence au recueil. Du reste, le texte qui ouvre celui-ci, *La Bécasse*, préface les contes et les présente comme des récits de chasseurs ; or, Maupassant lui-même ne s'est guère attaché à établir un rapport, fût-il indirect, de tous les récits avec la chasse. Si l'on veut être précis, en dehors du texte introductif de *La Bécasse*, la chasse n'occupe une place prépondérante, sur le plan narratif, que dans deux contes, *Farce normande* et *Un coq chanta* ; dans deux autres, *La Folle* et *La Peur*, la chasse intervient, mais ponctuellement, et sans incidence notable sur le déroulement du récit. C'est finalement peu, sur dix-sept contes... C'est la raison pour laquelle nous avons choisi de leur adjoindre six autres contes qui se nourrissent plus directement de la chasse, et présentent une inspiration commune : *La Roche aux guillemots* (paru dans *Le Gaulois*, avril 1882) ; *La Rouille* (*Gil Blas*, septembre 1882) ; *Le Garde* (*Le Gaulois*, octobre 1884) ; *Les Bécasses* (*Gil Blas*, octobre 1885) ; *Amour* (*Gil Blas*, décembre 1886) ; *Hautot père et fils* (*L'Écho de Paris*, 1889).

D'autres recueils célèbres utilisent aussi une sorte de convention d'intrigue, de fil d'Ariane plus ou moins ténu, pour conduire le lecteur d'un conte à l'autre ; que l'on pense aux *Mille et Une Nuits*, ou au *Décaméron* de Boccace... Mais dans cette filiation, nous devons, bien sûr, faire une place à part aux *Mémoires d'un chasseur* d'Ivan Tourgueniev, publiés trente ans avant les *Contes de la bécasse.* D'abord parce que l'écrivain russe était un ami de Gustave Flaubert, des frères Goncourt et... de Maupassant lui-même, qui appréciait fort son talent d'écrivain. De plus, l'inspiration — revendiquée par les deux auteurs — semblait objectivement proche. Mais si l'on regarde de près l'œuvre de Tourgueniev, il est clair que le thème de la chasse entretient ses récits bien plus que ceux de Maupassant : comme lui, Tourgueniev est un chasseur acharné, et c'est constamment en train de chasser qu'il se met en scène ; c'est toujours en tirant la bécasse ou la perdrix qu'il rencontre les personnages qui vivent sous sa plume. Les *Mémoires d'un chasseur* sont donc tous des *récits de chasse*, du moins au départ. Mais, selon la convention indiquée, cet ensemble des *Contes de la bécasse* et des autres contes choisis peut être assimilé à des *récits de chasseurs*, même si le thème de la chasse, à proprement parler, n'est pas toujours primordial. Le point de départ sert de prétexte à raconter l'histoire : c'est tout aussi vrai de la lettre écrite à une amie *(Les Bécasses)*, ou de la lecture d'un entrefilet dans un journal *(Amour)*.

Ces textes courts, censés être racontés ici par des chasseurs, s'apparentent dans leurs spécificités au genre même du conte, fort bien représenté dans la littérature française. Mais que l'on ne se méprenne pas : par *contes*, il n'est pas question d'entendre, selon l'acception de Vladimir Propp [1], ces récits à caractère merveilleux et initiatique, comme les contes de fées, fantastiques ou imaginaires. La veine fantastique existe bien chez Guy de Maupassant, comme chez Ernst-Theodor-Amadeus Hoffmann, Jules-Amédée Barbey d'Aurevilly ou Prosper Mérimée. Elle a donné des réussites éclatantes dans *Le Horla* [2], ou *Sur l'eau*, mais dans ce recueil, seuls *La Peur*, et peut-être, *Amour*, pourraient se référer au fantastique. La presque totalité de ces contes de chasseurs offre en fait des anecdotes tirées de la réalité quotidienne.

La brièveté des histoires, de quelques pages à une quinzaine, est caractéristique. Cette concision est évidemment liée aux conditions de leur première publication. Comme bien d'autres écrivains de son temps (Alphonse Daudet, Théodore de Banville, Anatole France), Guy de Maupassant a été formé à l'école exigeante du journalisme. L'aspect contraignant de ces chroniques, contes, articles divers que l'auteur devait fournir aux journaux, très vite et à la demande, l'a au moins aidé à définir une certaine forme d'écriture. Comme le souligne Marie-Claire Bancquart [3], « l'activité journalistique peut orienter des intérêts, affirmer des styles — enfin aider l'écrivain à se construire ».

1. V. Propp, *Morphologie du conte*, Le Seuil, coll. « Points », 1973.
2. Disponible dans la même collection.
3. In *Flaubert et Maupassant, écrivains normands*, o.c.

Nécessité d'un texte court, où l'anecdote doit accrocher le lecteur et où la chute est primordiale ; utilisation de faits divers *(En mer)* ; goût de l'observation des « petits faits quotidiens », dans la complexité et l'abondance desquels on doit opérer des choix... C'est ce que souligne Jules Lemaître (cité par Louis Forestier[1]) : « Dans ces dernières années, le conte, assez longtemps négligé, a eu comme une renaissance. Nous sommes de plus en plus pressés ; notre esprit veut les plaisirs rapides ou de l'émotion en brèves secousses [...]. Des journaux, l'ayant senti, se sont avisés de donner des contes [...]. » Il est évident que la prépublication journalistique a orienté l'écriture de Maupassant.

Comment opérer une distinction entre conte, nouvelle et roman ? À dire vrai, l'écrivain ne se souciait guère d'établir des notations précises pour ces trois formes littéraires, employant indifféremment les termes de *conte* ou de *nouvelle*... Il semble que le terme de *roman* doive logiquement être réservé à des œuvres assez longues comme *Pierre et Jean, Une vie*, ou *Bel-Ami*[2], tandis que les œuvres plus courtes pourraient être définies d'une façon générale comme *récits*, terme employé par Maupassant lui-même à la fin de *La Bécasse* : « Voici quelques-uns de ces récits. »

La particularité du conte tient sans doute à son caractère oral. Et plus que tout autre, Maupassant excellait à raconter des histoires. La forme du conte implique en principe qu'un narrateur, présent ou non dans le récit, s'adresse à un public donné, qui réagit parfois directement par ses commentaires. Ainsi, dans *La Rempailleuse*, les convives du marquis de Bertrans, « onze chasseurs, huit jeunes femmes et le médecin du pays », discutent sur l'amour. Et c'est le médecin qui rapporte aux invités une histoire d'amour exemplaire : « Quant

1. In introduction aux *Contes et Nouvelles de Maupassant*, éd. Gallimard (La Pléiade), o.c.
2. Tous trois disponibles dans la même collection.

à moi, j'ai eu connaissance d'une passion qui dura cinquante-cinq ans sans un jour de répit, et qui ne se termina que par la mort. »

Néanmoins le rapport narrateur/narrataire offre, dans le recueil, de nombreux cas de figure, et Maupassant ne respecte pas vraiment ces contraintes relationnelles, au reste aussi arbitraires pour lui que l'est le thème de la chasse. Et ces récits pourraient tout aussi bien être des contes « au coin du feu »... Mais placer les contes dans le registre de la chasse, c'est pour Maupassant ancrer son écriture dans une passion, et dans un terroir, la Normandie, lieu de prédilection des chasseurs, et surtout, terre natale de Maupassant. C'est d'ailleurs essentiellement à l'intérieur d'un triangle Fécamp-Le Havre-Yvetot, berceau de l'enfance de Maupassant, que se déroulent ces contes de chasseurs. Nul étonnement à ce qu'il nourrisse dans ce pays son inspiration la plus authentique...

Maupassant, la Normandie et la chasse

« Merci, mon cher ami, pour votre aimable invitation et pardonnez-moi si je ne l'accepte pas en ce moment. Mon premier mois de chasse est toujours pris par six ouvertures successives en Normandie ; et il m'est impossible de changer l'ordre établi de ces chasses obligatoires », écrit Maupassant à son ami Henri Amic[1] !

C'est que, dans la Normandie giboyeuse, la chasse est non seulement une nécessité ancestrale, mais un prétexte à farces et à bonnes histoires (dans *Les Bécasses*, les chasseurs dînent avec maître Picot « qui dira des blagues pour rire »). L'éprouvant lui-même, l'écrivain fait ainsi passer ce plaisir au premier plan : dès le conte introductif, le vieux baron des Ravots, même paralysé dans un fauteuil, trouve le moyen de chasser ! La chasse

1. Lettre de Maupassant à Henri Amic, du 17 août 1885, in *Correspondance de Guy de Maupassant*, o.c., p. 336.

fournit au conte parfois son sujet *(La Roche aux guillemots)*, mais beaucoup plus souvent un décor *(Les Bécasses)* ou une anecdote *(La Rouille)*, ou encore des comparaisons *(Amour, Un coq chanta)*.

Car la chasse est aussi une métaphore pour montrer la vie sous l'aspect des rapports de force. Le faible et le fort, la victime et le bourreau, le chasseur et sa proie, sont évoqués de multiples manières, avec peu d'égards pour la victime : la vie est ainsi, sans pitié pour les faibles, nous montre Maupassant dans *Le Garde*, où l'oncle « tire » littéralement comme un lapin le garnement qui a mis le feu à la maison ; dans *Un coq chanta*, le chasseur est une femme, et l'homme la proie ; dans *Pierrot*, c'est l'animal qui est victime de l'avarice de sa maîtresse, et dans *Les sabots* ce sont plutôt le dédain et la moquerie qu'inspire Adélaïde, tombée dans le piège de maître Omont.

Les traits de caractère qui président à l'orientation de ses histoires, Maupassant les a observés autour de lui, dans la campagne normande : dureté envers bêtes et gens, méfiance, cupidité, goût des farces brutales. S'il ne cède pas à une idée bucolique des paysans, c'est qu'il a vécu près d'eux et qu'il recherche « la vérité, cette vraisemblance dure et poignante qui nous bouleverse le cœur au lieu de l'émouvoir facilement [1] ».

C'est pourquoi les matériaux sont choisis dans la réalité, en utilisant un langage et même des bribes de dialecte cauchois qui, par leur concision et leurs métaphores, traduisent au mieux le tempérament normand. « Quand nous sommes ensemble, nous parlons patois, nous vivons, pensons, agissons en Normands, nous devenons des Normands terriens plus paysans que nos fermiers », dit le narrateur dans *Les Bécasses*.

Car Maupassant a une connaissance viscérale de son pays. Il est le frère masqué de tous ces personnages

1. *Gil Blas*, 6 juillet 1886, in *Correspondance de Guy de Maupassant*, o.c.

âpres, rudes, jouisseurs et sensuels, qui traversent les contes. Ceux-ci fourmillent de descriptions mettant en éveil tous les sens : évocation diverse du goût et des plaisirs de la nourriture dans *La Bécasse*, mets par ailleurs dont le délice et le raffinement s'opposent au banquet opulent, trivial, et débordant de victuailles du mariage de *Farce normande* ; détails sonores comme les cris des animaux ponctuant la vie paysanne, qui prennent un sens cynique dans *Un coq chanta* ; déclinaison de sensations olfactives : d'une « odeur de bétail, un fumet de troupeau » dans *Les Sabots*, à l'exhalaison de « souffles sucrés et délicats » de la corbeille de ravanelles dans *Un fils* ; choix de couleurs et de précisions visuelles dans la description minutieuse des costumes de *Menuet*.

Utiliser ses propres sensations pour l'abondance des détails *vrais*, ancrer l'histoire dans un terroir, à partir de faits quotidiens, rechercher la psychologie du personnage dans son comportement et son environnement, et dépeindre les relations tissées entre l'individu et la société, tels sont les grands principes d'une doctrine littéraire, le naturalisme, dont sont en partie redevables ces contes de chasseurs. C'est avec admiration que Maupassant écrit à Zola, à propos de *Germinal*[1] : « Vous avez remué là-dedans une telle masse d'humanité attendrissante et bestiale, fouillé tant de misères et de bêtise pitoyable, fait grouiller une telle foule terrible et désolante au milieu d'un décor admirable, que jamais livre assurément n'a contenu tant de vie et de mouvement, une pareille somme de peuple. On sent, en vous lisant, l'âme, l'haleine, et toute l'animalité tumultueuse de ces gens. L'effet que vous avez obtenu est aussi étonnant que superbe, et la mise en scène de votre roman reste devant les yeux et devant la pensée, comme si on avait vu ces choses[2]. » On

1. Disponible dans la même collection.
2. Lettre de Maupassant à Zola (juin 1885), in *Correspondance de Guy de Maupassant*, o.c., p. 329.

pourrait presque penser que Maupassant parle de ses contes...

Mais parmi ses influences littéraires, il ne faudrait pas oublier celle, directe, du « maître », Gustave Flaubert. C'est lui qui, exigeant et paternel à la fois, fit de Maupassant un écrivain, le poussant vers la prose alors qu'il se croyait poète. Pour sa part, Maupassant croit bien plus aux hommes qu'aux doctrines, à ses impressions qu'aux principes littéraires : « Je suis en sève, il est vrai. Le printemps que je trouve ici à son premier éveil remue toute ma nature de plante et me fait produire ces fruits littéraires qui éclosent en moi, je ne sais comment [1]... »

Pourtant Maupassant ne recherche pas l'« inspiration » ; il regarde, saisit de l'extérieur. « J'arrive à cette certitude que, pour bien écrire, en artiste, en coloriste, en sensitif et en imagier, il faut décrire et non pas analyser [2]. » C'est par le choix judicieux d'une action, l'éclairage particulier du décor, la précision des touches de couleurs, qu'il dessine ses personnages.

Le regard de Maupassant

Contemporain de Claude Monet et de Jean-Baptiste Corot, Maupassant ne peut s'empêcher d'être séduit par l'impressionnisme : « L'an dernier, en ce même endroit (Étretat), j'ai souvent suivi Claude Monet à la recherche d'impressions. Ce n'était plus un peintre, en vérité, mais un chasseur [3]. » Nous y revoilà !

Naturalisme, réalisme, impressionnisme, si ces tendances coexistent dans l'œuvre de Maupassant, c'est dans la mesure où il y a trouvé un écho dans sa propre

1. Lettre à Madame X..., citée par Pol Neveux, in *Correspondance de Guy de Maupassant*, o.c., p. 338.
2. In *Fragments sur l'art d'écrire et sur l'écrivain*, cité par Pol Neveux, in *Correspondance de Guy de Maupassant*, o.c., p. 422.
3. « La Vie d'un paysagiste », *Gil Blas*, septembre 1886, in *Correspondance de Guy de Maupassant*, o.c., p. 167.

expérience, ses goûts, et ses convictions personnelles. Car, de la réalité, Maupassant pense qu'elle n'est qu'une chimère et que chacun porte la sienne, que « l'écrivain n'a d'autre mission que de reproduire fidèlement cette illusion », et que « les grands artistes sont ceux qui imposent à l'humanité leur vision personnelle [1] ».

À côté de l'œil sensible d'un peintre, Maupassant a aussi une lucidité, une acuité de photographe, voire une vision de cinéaste. Comme lui Maupassant cadre, découpe, éclaire, révèle, développe, rapproche le détail, le mouvement, l'impression qui font mouche sur le lecteur. Et l'on n'est pas loin, de nouveau, du chasseur cernant dans le viseur de son fusil le gibier à atteindre... L'œil de Maupassant est le nerf de son écriture : « Le romancier [...] exploite tout ce qu'il a sous les yeux [...]. Son œil est comme une pompe qui absorbe tout [2]. »

Panoramique de la côte de Canteleu (lieu de prédilection rattaché au souvenir de Gustave Flaubert, qui vécut dans le voisinage, et, pour cette raison, utilisé à plusieurs reprises : dans *Le Horla*, dans *Bel-Ami*) ; ellipses de temps, quand Charlot « prend dix-huit ans » en quelques lignes ; cut brutal de la découverte des ossements de la folle ; flash-back dans *La Peur* ; gros plan sur le bras de Javel cadet, et sur les deux paires de sabots mêlés d'Adélaïde et de maître Omont à l'entrée de la chambre ; arrière-plan de la silhouette immobile de Gargan, tricotant son bas... Les images proposées par l'écriture de Maupassant sont déjà matière pour des cinéastes. Elles suggèrent l'implicite, provoquent un sens à construire par le lecteur comme par le spectateur au cinéma. Serge Mikhaïlovitch Eisenstein ne trouvait-il pas chez Maupassant des « découpages cinématographiques » et de « vrais modèles de montage raffiné [3]» ?...

1. Cité par J.-P. Han, revue *Europe*, o.c.
2. *Sur l'eau*, 1888.
3. Cité par Armand Lanoux, *Maupassant le Bel-Ami*, o.c., à propos de « Réflexions d'un cinéaste », d'Eisenstein.

L'écriture de Maupassant n'est pas figée en tableaux saisissants, mais douée de vie et de mouvement ; et l'intérêt de chaque conte tient autant à la façon de le présenter et d'en amener le dénouement, c'est-à-dire plus à la vision poursuivie par leur auteur qu'à l'anecdote elle-même.

Comme dans les détails signifiants de séquences filmiques, Maupassant procède souvent par indices, qui induisent progressivement le dénouement, et donnent la saveur du parcours anecdotique, même si l'issue est rapidement devinée. « Il est beau gars et riche, elle est belle fille et elle a des écus. Le sentiment intervient moins que les liards » *(Farce normande)* ; dès le début du récit, l'auteur suggère un élément qui infléchira le sens de cette farce, le long d'un fil conducteur discret mais présent, l'avarice normande. De même le fumier, qui sera la tombe du Prussien de Saint-Antoine, est évoqué dès les premières pages, de manière anodine, à propos des travaux des champs.

Dans ce sens, le positionnement du narrateur par rapport à son auditoire permet dans chacun des contes l'expression des différents points de vue de l'écrivain : il s'agit, soit de privilégier une description externe de la réalité avec des remarques distantes, établissant une connivence avec le lecteur (« Et voilà comment on s'amuse, les jours de noce, au pays normand »), soit de préserver la perception qu'a le personnage de ce qui l'entoure, le narrateur voyant avec les yeux de Walter Schnaffs par exemple ; une troisième position consistant en celle d'un narrateur qui en saurait moins que son personnage, appréhendant ainsi comme une énigme le comportement de la folle. Les choix faits par Maupassant concourent au sens qu'il veut donner au récit.

En effet, ces contes de chasseurs sont typiques de l'appréhension du monde par Maupassant : une vision réaliste et vivante, mais une vision désabusée et sans grand espoir sur l'humanité.

Sensualité et pessimisme

Ce regard précis appartient au tempérament sensitif de Maupassant ; celui-ci lui procure certes un vertige de sensations, et peut-être un certain oubli, mais il porte en germe une sorte d'*extralucidité*, qui est source de tourments et de désespoir ; c'est aussi cela, la force irrésistible qui pousse Maupassant à écrire, et à écrire de cette façon. « C'est que je porte en moi cette seconde vue qui est en même temps la force et la misère de tous les écrivains. J'écris parce que je comprends et je souffre de tout ce qui est, parce que je le connais trop et surtout parce que, sans pouvoir goûter, je le regarde en moi-même, dans le miroir de ma pensée [1]. »

Pour autant Maupassant n'est pas un « penseur », et sa conception de la vie provient plus de l'expérience que de la spéculation intellectuelle. Cette prise de conscience toujours négative et désespérée, reflet aussi de son époque, démontre un engagement qui n'est pas politique, mais humain. Il n'y a pas de critique sociale sur les milieux décrits dans ces contes, et si Maupassant étudie la paysannerie ou la petite noblesse, ce n'est pas en tant que classe sociale, mais en tant que représentation d'un certain tempérament, de certains caractères, de certains types de sentiments, et d'une amoralité naturelle. Et dans ce sens, Maupassant ne laisse aucune chance de rachat à la dérisoire et lamentable espèce humaine. Même s'il utilise le registre comique, c'est la farce triviale, l'ironie glacée, ou le grotesque, et tous ces contes sont dramatiques — la mort est présente dans plus de la moitié des histoires —, si ce n'est dans le dénouement, en tout cas dans la morale suggérée. Dans la cupidité, la méchanceté, l'ingratitude, l'impossibilité de l'amour, la bêtise, l'horreur de la vieillesse et du temps destructeur, Maupassant exhibe à chaque fois son amertume devant le sordide de la vie.

1. *Sur l'eau.*

Et cela, Maupassant le fait passer par une double cruauté : cruauté du rapport à un quotidien trivial et pathétique certes, mais qui ne peut atteindre au sublime de la tragédie. Il y a en effet peu d'identification et de compassion possibles avec des personnages aux passions viles, faibles, ou résignées. On ne souhaite en général lutter ni contre eux, ni pour eux, ni avec eux ; Maupassant nous les distancie, tout en nous montrant leur souffrance. L'issue de chaque récit laisse peu de place à la délivrance, au rachat, à la sublimation. Cruauté encore, celle de la fin poussée trop loin dans presque chaque conte : une fin pire, « comble du comble », que celle qu'on supposait, qui nous était suggérée par la résolution de l'histoire, avant la clôture définitive du conte ou de sa morale (double mort du « cochon » de Saint-Antoine, pingrerie après la mort de la rempailleuse, ingratitude de Charlot, complaisance cynique de l'académicien et du sénateur malgré leurs méfaits, etc.).

Ce n'est pas par hasard si Maupassant, qui se voulait pourtant avant tout romancier, a écrit plus de trois cents contes... C'est que cette forme concentrée répondait au mieux, comme une « vision flash », à son regard d'écorché vif, touché tout aussi brutalement par l'ivresse et la cruauté de la vie, que par l'inanité et le mépris de toute espérance.

CONTES DE LA BÉCASSE

LA BÉCASSE[1]

Le vieux baron des Ravots avait été pendant quarante ans le roi des chasseurs de sa province. Mais, depuis cinq à six années, une paralysie des jambes le clouait à son fauteuil, et il ne pouvait plus que tirer des pigeons de la fenêtre de son salon ou du haut de son grand perron.

Le reste du temps il lisait.

C'était un homme de commerce aimable, chez qui était resté beaucoup de l'esprit lettré du dernier siècle. Il adorait les contes, les petits contes polissons, et aussi les histoires vraies arrivées dans son entourage. Dès qu'un ami entrait chez lui, il demandait :

« Eh bien, quoi de nouveau ? »

Et il savait interroger à la façon d'un juge d'instruction.

Par les jours de soleil il faisait rouler devant la porte son large fauteuil pareil à un lit. Un domestique, derrière son dos, tenait les fusils, les chargeait et les passait à son maître ; un autre valet, caché dans un massif, lâchait un pigeon de temps en temps, à des intervalles irréguliers, pour que le baron ne fût pas prévenu et demeurât en éveil.

1. Paru dans *Le Gaulois* (5 décembre 1882).

Et, du matin au soir, il tirait les oiseaux rapides, se désolant quand il s'était laissé surprendre, et riant aux larmes quand la bête tombait d'aplomb ou faisait quelque culbute inattendue et drôle. Il se tournait alors vers le garçon qui chargeait les armes, et il demandait, en suffoquant de gaieté :

« Y est-il, celui-là, Joseph ! As-tu vu comme il est descendu ? »

Et Joseph répondait invariablement :

« Oh ! monsieur le baron ne les manque pas. »

À l'automne, au moment des chasses, il invitait, comme à l'ancien temps, ses amis, et il aimait entendre au loin les détonations. Il les comptait, heureux quand elles se précipitaient. Et, le soir, il exigeait de chacun le récit fidèle de sa journée.

Et on restait trois heures à table en racontant des coups de fusil.

C'étaient d'étranges et invraisemblables aventures, où se complaisait l'humeur hâbleuse des chasseurs. Quelques-unes avaient fait date et revenaient régulièrement. L'histoire d'un lapin que le petit vicomte de Bourril avait manqué dans son vestibule les faisait se tordre chaque année de la même façon. Toutes les cinq minutes un nouvel orateur prononçait :

« J'entends : ''Birr ! birr !'' et une compagnie magnifique me part à dix pas. J'ajuste : pif ! paf ! j'en vois tomber une pluie, une vraie pluie. Il y en avait sept ! »

Et tous, étonnés, mais réciproquement crédules, s'extasiaient.

Mais il existait dans la maison une vieille coutume, appelée le « conte de la Bécasse ».

Au moment du passage de cette reine des gibiers, la même cérémonie recommençait à chaque dîner.

Comme il adorait l'incomparable oiseau, on en mangeait tous les soirs un par convive ; mais on avait soin de laisser dans un plat toutes les têtes.

Alors le baron, officiant comme un évêque, se faisait apporter sur une assiette un peu de graisse, oignait avec soin les têtes précieuses en les tenant par le bout de la mince aiguille qui leur sert de bec. Une chandelle allumée était posée près de lui, et tout le monde se taisait, dans l'anxiété de l'attente.

Puis il saisissait un des crânes ainsi préparés, le fixait sur une épingle, piquait l'épingle sur un bouchon, maintenant le tout en équilibre au moyen de petits bâtons croisés comme des balanciers, et plantait délicatement cet appareil sur un goulot de bouteille en manière de tourniquet.

Tous les convives comptaient ensemble, d'une voix forte :

« Une, — deux, — trois. »

Et le baron, d'un coup de doigt, faisait vivement pivoter ce joujou.

Celui des invités que désignait, en s'arrêtant, le long bec pointu devenait maître de toutes les têtes, régal exquis qui faisait loucher ses voisins.

Il les prenait une à une et les faisait griller sur la chandelle. La graisse crépitait, la peau rissolée fumait, et l'élu du hasard croquait le crâne suiffé en le tenant par le nez et en poussant des exclamations de plaisir.

Et chaque fois les dîneurs, levant leurs verres, buvaient à sa santé.

Puis, quand il avait achevé le dernier, il devait sur l'ordre du baron, conter une histoire pour indemniser les déshérités.

Voici quelques-uns de ces récits :

CE COCHON DE MORIN[1]

À M. Oudinot[2].

I

« Çà, mon ami, dis-je à Labarbe, tu viens encore de prononcer ces quatre mots, ''ce cochon de Morin''. Pourquoi, diable, n'ai-je jamais entendu parler de Morin sans qu'on le traitât de ''cochon'' ? »

Labarbe, aujourd'hui député, me regarda avec des yeux de chat-huant. « Comment, tu ne sais pas l'histoire de Morin, et tu es de La Rochelle ? »

J'avouai que je ne savais pas l'histoire de Morin. Alors Labarbe se frotta les mains et commença son récit.

« Tu as connu Morin, n'est-ce pas, et tu te rappelles son grand magasin de mercerie sur le quai de La Rochelle ?

— Oui parfaitement.

— Eh bien, sache qu'en 1862 ou 63, Morin alla

1. Paru dans *Gil Blas* (21 novembre 1882), sous le pseudonyme « Maufrigneuse ». Maupassant utilisera très fréquemment cette signature.

2. Cette dédicace s'adresse sans doute à Eugène Oudinot, maître-verrier, et père de Mme Lecomte de Noüy, à laquelle Maupassant était attaché.

passer quinze jours à Paris, pour son plaisir, ou ses plaisirs, mais sous prétexte de renouveler ses approvisionnements. Tu sais ce que sont, pour un commerçant de province, quinze jours de Paris. Cela vous met le feu dans le sang. Tous les soirs des spectacles, des frôlements de femmes, une continuelle excitation d'esprit. On devient fou. On ne voit plus que danseuses en maillot, actrices décolletées, jambes rondes, épaules grasses, tout cela presque à portée de la main, sans qu'on ose ou qu'on puisse y toucher. C'est à peine si on goûte, une fois ou deux, à quelques mets inférieurs. Et l'on s'en va, le cœur encore tout secoué, l'âme émoustillée, avec une espèce de démangeaison de baisers qui vous chatouillent les lèvres. »

Morin se trouvait dans cet état, quand il prit son billet pour La Rochelle par l'express de 8 h 40 du soir. Et il se promenait plein de regrets et de trouble dans la grande salle commune du chemin de fer d'Orléans, quand il s'arrêta net devant une jeune femme qui embrassait une vieille dame. Elle avait relevé sa voilette, et Morin, ravi, murmura : « Bigre, la belle personne ! »

Quand elle eut fait ses adieux à la vieille, elle entra dans la salle d'attente, et Morin la suivit ; puis elle passa sur le quai, et Morin la suivit encore ; puis elle monta dans un wagon vide, et Morin la suivit toujours.

Il y avait peu de voyageurs pour l'express. La locomotive siffla ; le train partit. Ils étaient seuls.

Morin la dévorait des yeux. Elle semblait avoir dix-neuf à vingt ans ; elle était blonde, grande, d'allure hardie. Elle roula autour de ses jambes une couverture de voyage, et s'étendit sur les banquettes pour dormir.

Morin se demandait : « Qui est-ce ? » Et mille suppositions, mille projets lui traversaient l'esprit. Il se disait : « On raconte tant d'aventures de chemin de fer. C'en est une peut-être qui se présente pour moi. Qui sait ? une bonne fortune est si vite arrivée. Il me suffirait peut-être d'être audacieux. N'est-ce pas Danton qui disait : "De l'audace, de l'audace, et toujours de l'audace [1]." Si ce n'est pas Danton, c'est Mirabeau. Enfin, qu'importe. Oui, mais je manque d'audace, voilà le hic. Oh ! Si on savait, si on pouvait lire dans les âmes ! Je parie qu'on passe tous les jours, sans s'en douter, à côté d'occasions magnifiques. Il lui suffirait d'un geste pourtant pour m'indiquer qu'elle ne demande pas mieux... »

Alors, il supposa des combinaisons qui le conduisaient au triomphe. Il imaginait une entrée en rapport chevaleresque, de petits services qu'il lui rendait, une conversation vive, galante, finissant par une déclaration qui finissait par... par ce que tu penses.

Mais ce qui lui manquait toujours, c'était le début, le prétexte. Et il attendait une circonstance heureuse, le cœur ravagé, l'esprit sens dessus dessous.

La nuit cependant s'écoulait et la belle enfant dormait toujours, tandis que Morin méditait sa chute. Le jour parut, et bientôt le soleil lança son premier rayon, un long rayon clair venu du bout de l'horizon, sur le doux visage de la dormeuse.

Elle s'éveilla, s'assit, regarda la campagne, regarda Morin et sourit. Elle sourit en femme heureuse, d'un air engageant et gai. Morin tressaillit. Pas de doute, c'était pour lui ce sourire-là, c'était bien une invitation discrète, le signal rêvé qu'il attendait. Il voulait dire, ce sourire : « Êtes-vous bête, êtes-vous niais, êtes-vous jobard, d'être resté là, comme un pieu, sur votre siège depuis hier soir.

« Voyons, regardez-moi, ne suis-je pas charmante ? Et vous demeurez comme ça toute une nuit en tête à tête avec une jolie femme sans rien oser, grand sot. »

Elle souriait toujours en le regardant ; elle commençait même à rire ; et il perdit la tête, cherchant un mot de circonstance, un compliment, quelque chose à dire enfin, n'importe quoi. Mais il ne trouvait rien, rien.

1. L'auteur de cette phrase célèbre, ici tronquée, est bien sûr Danton (*Discours pour la levée en masse*, de septembre 1792).

Alors, saisi d'une audace de poltron, il pensa : « Tant pis, je risque tout » ; et brusquement, sans crier « gare », il s'avança, les mains tendues, les lèvres gourmandes, et, la saisissant à pleins bras, il l'embrassa.

D'un bond elle fut debout, criant : « Au secours », hurlant d'épouvante. Et elle ouvrit la portière ; elle agita ses bras dehors, folle de peur, essayant de sauter, tandis que Morin éperdu, persuadé qu'elle allait se précipiter sur la voie, la retenait par sa jupe en bégayant : « Madame... oh ! madame. »

Le train ralentit sa marche, s'arrêta. Deux employés se précipitèrent aux signaux désespérés de la jeune femme qui tomba dans leurs bras en balbutiant : « Cet homme a voulu... a voulu... me... me... » Et elle s'évanouit.

On était en gare de Mauzé[1]. Le gendarme présent arrêta Morin.

Quand la victime de sa brutalité eut reprit connaissance, elle fit sa déclaration. L'autorité verbalisa. Et le pauvre mercier ne put regagner son domicile que le soir, sous le coup d'une poursuite judiciaire pour outrage aux bonnes mœurs dans un lieu public.

II

J'étais alors rédacteur en chef du *Fanal des Charentes*[2], et je voyais Morin, chaque soir, au café du Commerce.

Dès le lendemain de son aventure, il vint me trouver, ne sachant que faire. Je ne lui cachai pas mon opinion : « Tu n'es qu'un cochon. On ne se conduit pas comme ça. »

Il pleurait ; sa femme l'avait battu ; et il voyait son

1. Petite ville des Deux-Sèvres, située à proximité de La Rochelle.
2. Il n'existe pas à cette époque de journal de ce titre.

commerce ruiné, son nom dans la boue, déshonoré, ses amis, indignés, ne le saluant plus. Il finit par me faire pitié, et j'appelai mon collaborateur Rivet, un petit homme goguenard et de bon conseil, pour prendre ses avis.

Il m'engagea à voir le procureur impérial, qui était de mes amis. Je renvoyai Morin chez lui et je me rendis chez ce magistrat.

J'appris que la femme outragée était une jeune fille, Mlle Henriette Bonnel, qui venait de prendre à Paris ses brevets d'institutrice et qui, n'ayant plus ni père ni mère, passait ses vacances chez son oncle et sa tante, braves petits bourgeois de Mauzé.

Ce qui rendait grave la situation de Morin, c'est que l'oncle avait porté plainte. Le ministère public consentait à laisser tomber l'affaire si cette plainte était retirée. Voilà ce qu'il fallait obtenir.

Je retournai chez Morin. Je le trouvai dans son lit, malade d'émotion et de chagrin. Sa femme, une grande gaillarde osseuse et barbue, le maltraitait sans repos. Elle m'introduisit dans la chambre en me criant par la figure : « Vous venez voir ce cochon de Morin ? Tenez, le voilà, le coco ! »

Et elle se planta devant le lit, les poings sur les hanches. J'exposai la situation ; et il me supplia d'aller trouver la famille. La mission était délicate ; cependant je l'acceptai. Le pauvre diable ne cessait de répéter : « Je t'assure que je ne l'ai pas même embrassée, non, pas même. Je te le jure ! »

Je répondis : « C'est égal, tu n'es qu'un cochon. » Et je pris mille francs qu'il m'abandonna pour les employer comme je le jugerais convenable.

Mais comme je ne tenais pas à m'aventurer seul dans la maison des parents, je priai Rivet de m'accompagner. Il y consentit, à la condition qu'on partirait immédiatement, car il avait, le lendemain dans l'après-midi, une affaire urgente à La Rochelle.

Et, deux heures plus tard, nous sonnions à la porte d'une jolie maison de campagne. Une belle jeune fille vint nous ouvrir. C'était elle assurément. Je dis tout bas à Rivet : « Sacrebleu, je commence à comprendre Morin. »

L'oncle, M. Tonnelet, était justement un abonné du *Fanal*, un fervent coreligionnaire politique qui nous reçut à bras ouverts, nous félicita, nous congratula, nous serra les mains, enthousiasmé d'avoir chez lui les deux rédacteurs de son journal. Rivet me souffla dans l'oreille : « Je crois que nous pourrons arranger l'affaire de ce cochon de Morin. »

La nièce s'était éloignée ; et j'abordai la question délicate. J'agitai le spectre du scandale ; je fis valoir la dépréciation inévitable que subirait la jeune personne après le bruit d'une pareille affaire ; car on ne croirait jamais à un simple baiser.

Le bonhomme semblait indécis ; mais il ne pouvait rien décider sans sa femme qui ne rentrerait que tard dans la soirée. Tout à coup il poussa un cri de triomphe : « Tenez, j'ai une idée excellente. Je vous tiens, je vous garde. Vous allez dîner et coucher ici tous les deux ; et, quand ma femme sera revenue, j'espère que nous nous entendrons. »

Rivet résistait ; mais le désir de tirer d'affaire ce cochon de Morin le décida ; et nous acceptâmes l'invitation.

L'oncle se leva, radieux, appela sa nièce, et nous proposa une promenade dans sa propriété, en proclamant : « À ce soir les affaires sérieuses. »

Rivet et lui se mirent à parler politique. Quant à moi, je me trouvai bientôt à quelques pas en arrière, à côté de la jeune fille. Elle était vraiment charmante, charmante !

Avec des précautions infinies, je commençai à lui parler de son aventure pour tâcher de m'en faire une alliée.

Mais elle ne parut pas confuse le moins du monde ; elle m'écoutait de l'air d'une personne qui s'amuse beaucoup.

Je lui disais : « Songez donc, mademoiselle, à tous

les ennuis que vous aurez. Il vous faudra comparaître devant le tribunal, affronter les regards malicieux, parler en face de tout ce monde, raconter publiquement cette triste scène du wagon. Voyons, entre nous, n'auriez-vous pas mieux fait de ne rien dire, de remettre à sa place ce polisson sans appeler les employés ; et de changer simplement de voiture ? »

Elle se mit à rire. « C'est vrai ce que vous dites ! mais que voulez-vous ? J'ai eu peur ; et, quand on a peur, on ne raisonne plus. Après avoir compris la situation, j'ai bien regretté mes cris ; mais il était trop tard. Songez aussi que cet imbécile s'est jeté sur moi comme un furieux, sans prononcer un mot, avec une figure de fou. Je ne savais même pas ce qu'il me voulait. »

Elle me regardait en face, sans être troublée ou intimidée. Je me disais : « Mais c'est une gaillarde, cette fille. Je comprends que ce cochon de Morin se soit trompé. »

Je repris en badinant : « Voyons, mademoiselle, avouez qu'il était excusable, car, enfin, on ne peut pas se trouver en face d'une aussi belle personne que vous sans éprouver le désir absolument légitime de l'embrasser. »

Elle rit plus fort, toutes les dents au vent. « Entre le désir et l'action, monsieur, il y a place pour le respect. »

La phrase était drôle, bien que peu claire. Je demandai brusquement : « Eh bien, voyons, si je vous embrassais, moi, maintenant ; qu'est-ce que vous feriez ? »

Elle s'arrêta pour me considérer du haut en bas, puis elle dit, tranquillement : « Oh, vous, ce n'est pas la même chose. »

Je le savais bien, parbleu, que ce n'était pas la même chose, puisqu'on m'appelait dans toute la province « le beau Labarbe ». J'avais trente ans, alors, mais je demandai : « Pourquoi ça ? »

Elle haussa les épaules, et répondit : « Tiens ! parce que vous n'êtes pas aussi bête que lui. » Puis elle ajouta, en me regardant en dessous : « Ni aussi laid. »

Avant qu'elle eût pu faire un mouvement pour m'éviter, je lui avais planté un bon baiser sur la joue. Elle sauta de côté, mais trop tard. Puis elle dit : « Eh bien ! vous n'êtes pas gêné non plus, vous. Mais ne recommencez pas ce jeu-là. »

Je pris un air humble et je dis à mi-voix : « Oh ! mademoiselle, quant à moi, si j'ai un désir au cœur, c'est de passer devant un tribunal pour la même cause que Morin. »

Elle demanda à son tour : « Pourquoi ça ? » Je la regardai au fond des yeux sérieusement.

« Parce que vous êtes une des plus belles créatures qui soient ; parce que ce serait pour moi un brevet, un titre, une gloire, que d'avoir voulu vous violenter. Parce qu'on dirait, après vous avoir vue : ''Tiens, Labarbe n'a pas volé ce qui lui arrive, mais il a de la chance tout de même''. »

Elle se mit à rire de tout son cœur.

« Êtes-vous drôle ? » Elle n'avait pas fini le mot *drôle* que je la tenais à pleins bras et je lui jetais des baisers voraces partout où je trouvais une place, dans les cheveux, sur le front, sur les yeux, sur la bouche parfois, sur les joues, par toute la tête, dont elle découvrait toujours malgré elle un coin pour garantir les autres.

À la fin, elle se dégagea, rouge et blessée. « Vous êtes un grossier, monsieur, et vous me faites repentir de vous avoir écouté. »

Je lui saisis la main, un peu confus, balbutiant : « Pardon, pardon, mademoiselle. Je vous ai blessée ; j'ai été brutal ! Ne m'en voulez pas. Si vous saviez ?... » Je cherchais vainement une excuse.

Elle prononça, au bout d'un moment : « Je n'ai rien à savoir, monsieur. »

Mais j'avais trouvé ; je m'écriai : « Mademoiselle, voici un an que je vous aime ! »

Elle fut vraiment surprise et releva les yeux. Je repris : « Oui, mademoiselle, écoutez-moi. Je ne connais pas Morin et je me moque bien de lui. Peu m'importe qu'il aille en prison et devant les tribunaux. Je vous ai vue ici, l'an passé, vous étiez là-bas, devant la grille. J'ai reçu une secousse en vous apercevant et votre image ne m'a plus quitté. Croyez-moi ou ne me croyez pas, peu m'importe. Je vous ai trouvée adorable ; votre souvenir me possédait ; j'ai voulu vous revoir ; j'ai saisi le prétexte de cette bête de Morin ; et me voici. Les circonstances m'ont fait passer les bornes ; pardonnez-moi, je vous en supplie, pardonnez-moi. »

Elle guettait la vérité dans mon regard, prête à sourire de nouveau ; et elle murmura : « Blagueur. »

Je levai la main, et, d'un ton sincère (je crois même que j'étais sincère) : « Je vous jure que je ne mens pas. »

Elle dit simplement : « Allons donc. »

Nous étions seuls, tout seuls, Rivet et l'oncle ayant disparu dans les allées tournantes ; et je lui fis une vraie déclaration, longue, douce, en lui pressant et lui baisant les doigts. Elle écoutait cela comme une chose agréable et nouvelle, sans bien savoir ce qu'elle en devait croire.

Je finissais par me sentir troublé, par penser ce que je disais ; j'étais pâle, oppressé, frissonnant ; et, doucement, je lui pris la taille.

Je lui parlais tout bas dans les petits cheveux frisés de l'oreille. Elle semblait morte tant elle restait rêveuse.

Puis sa main rencontra la mienne et la serra ; je pressai lentement sa taille d'une étreinte tremblante et toujours grandissante ; elle ne remuait plus du tout ; j'effleurais sa joue de ma bouche ; et tout à coup mes lèvres, sans chercher, trouvèrent les siennes. Ce fut un long, long baiser ; et il aurait encore duré longtemps ; si je n'avais entendu « hum, hum » à quelques pas derrière moi.

Elle s'enfuit à travers un massif. Je me retournai et j'aperçus Rivet qui me rejoignait.

Il se campa au milieu du chemin, et sans rire : « Eh bien ! c'est comme ça que tu arranges l'affaire de ce cochon de Morin. »

Je répondis avec fatuité : « On fait ce qu'on peut, mon cher. Et l'oncle ? Qu'en as-tu obtenu ? Moi, je réponds de la nièce. »

Rivet déclara : « J'ai été moins heureux avec l'oncle. » Et je lui pris le bras pour rentrer.

III

Le dîner acheva de me faire perdre la tête. J'étais à côté d'elle et ma main sans cesse rencontrait sa main sous la nappe ; mon pied pressait son pied ; nos regards se joignaient, se mêlaient.

On fit ensuite un tour au clair de lune et je lui murmurai dans l'âme toutes les tendresses qui me montaient du cœur. Je la tenais serrée contre moi, l'embrassant à tout moment, mouillant mes lèvres aux siennes. Devant nous, l'oncle et Rivet discutaient. Leurs ombres les suivaient gravement sur le sable des chemins.

On rentra. Et bientôt l'employé du télégraphe apporta une dépêche de la tante annonçant qu'elle ne reviendrait que le lendemain matin, à sept heures, par le premier train.

L'oncle dit : « Eh bien, Henriette, va montrer leurs chambres à ces messieurs. » On serra la main du bonhomme et on monta. Elle nous conduisit d'abord dans l'appartement de Rivet, et il me souffla dans l'oreille : « Pas de danger qu'elle nous ait menés chez toi d'abord. » Puis elle me guida vers mon lit. Dès qu'elle fut seule avec moi, je la saisis de nouveau dans mes bras, tâchant d'affoler sa raison et de culbuter sa résistance. Mais, quand elle se sentit tout près de défaillir, elle s'enfuit.

Je me glissai entre mes draps, très contrarié, très agité, et très penaud, sachant bien que je ne dormirais guère, cherchant quelle maladresse j'avais pu commettre, quand on heurta doucement ma porte.

Je demandai : « Qui est là ? »

Une voix légère répondit : « Moi. »

Je me vêtis à la hâte ; j'ouvris ; elle entra. « J'ai

oublié, dit-elle, de vous demander ce que vous prenez le matin : du chocolat, du thé, ou du café ? »

Je l'avais enlacée impétueusement, la dévorant de caresses, bégayant : « Je prends... je prends... je prends... » Mais elle me glissa entre les bras, souffla ma lumière, et disparut.

Je restai seul, furieux, dans l'obscurité, cherchant des allumettes, n'en trouvant pas. J'en découvris enfin et je sortis dans le corridor, à moitié fou, mon bougeoir à la main.

Qu'allais-je faire ? Je ne raisonnais plus ; je voulais la trouver ; je la voulais. Et je fis quelques pas sans réfléchir à rien. Puis, je pensai brusquement : « Mais si j'entre chez l'oncle ? que dirai-je ?... » Et je demeurai immobile, le cerveau vide, le cœur battant. Au bout de plusieurs secondes, la réponse me vint : « Parbleu je dirai que je cherchais la chambre de Rivet pour lui parler d'une chose urgente. »

Et je me mis à inspecter les portes m'efforçant de découvrir la sienne, à elle. Mais rien ne pouvait me guider. Au hasard, je pris une clef que je tournai. J'ouvris, j'entrai... Henriette, assise dans son lit, effarée, me regardait.

Alors je poussai doucement le verrou ; et, m'approchant sur la pointe des pieds, je lui dis : « J'ai oublié, mademoiselle, de vous demander quelque chose à lire. » Elle se débattait ; mais j'ouvris bientôt le livre que je cherchais. Je n'en dirai pas le titre. C'était vraiment le plus merveilleux des romans, et le plus divin des poèmes.

Une fois tournée la première page, elle me le laissa parcourir à mon gré ; et j'en feuilletai tant de chapitres que nos bougies s'usèrent jusqu'au bout.

Puis, après l'avoir remerciée, je regagnais, à pas de loup, ma chambre, quand une main brutale m'arrêta ; et une voix, celle de Rivet, me chuchota dans le nez : « Tu n'as donc pas fini d'arranger l'affaire de ce cochon de Morin ? »

Dès sept heures du matin, elle m'apportait elle-même

une tasse de chocolat. Je n'en ai jamais bu de pareil. Un chocolat à s'en faire mourir, moelleux, velouté, parfumé, grisant. Je ne pouvais ôter ma bouche des bords délicieux de sa tasse.

À peine la jeune fille était-elle sortie que Rivet entra. Il semblait un peu nerveux, agacé comme un homme qui n'a guère dormi ; il me dit d'un ton maussade : « Si tu continues, tu sais, tu finiras par gâter l'affaire de ce cochon de Morin. »

À huit heures, la tante arrivait. La discussion fut courte. Les braves gens retiraient leur plainte, et je laisserais cinq cents francs aux pauvres du pays.

Alors, on voulut nous retenir à passer la journée. On organiserait même une excursion pour aller visiter des ruines. Henriette derrière le dos de ses parents me faisait des signes de tête : « Oui, restez donc. » J'acceptais, mais Rivet s'acharna à s'en aller.

Je le pris à part ; je le priai, je le sollicitai ; je lui disais : « Voyons, mon petit Rivet, fais cela pour moi. » Mais il semblait exaspéré et me répétait dans la figure : « J'en ai assez, entends-tu, de l'affaire de ce cochon de Morin. »

Je fus bien contraint de partir aussi. Ce fut un des moments les plus durs de ma vie. J'aurais bien arrangé cette affaire-là pendant toute mon existence.

Dans le wagon, après les énergiques et muettes poignées de main des adieux, je dis à Rivet : « Tu n'es qu'une brute. » Il répondit : « Mon petit, tu commençais à m'agacer bougrement. »

En arrivant aux bureaux du *Fanal*, j'aperçus une foule qui nous attendait... On cria dès qu'on nous vit : « Eh bien, avez-vous arrangé l'affaire de ce cochon de Morin ? »

Tout La Rochelle en était troublé. Rivet, dont la mauvaise humeur s'était dissipée en route, eut grand-peine à ne pas rire en déclarant : « Oui, c'est fait, grâce à Labarbe. »

Et nous allâmes chez Morin.

Il était étendu dans un fauteuil, avec des sinapismes [1] aux jambes et des compresses d'eau froide sur le crâne, défaillant d'angoisse. Et il toussait sans cesse, d'une petite toux d'agonisant, sans qu'on sût d'où lui était venu ce rhume. Sa femme le regardait avec des yeux de tigresse prête à le dévorer.

Dès qu'il nous aperçut, il eut un tremblement qui lui secouait les poignets et les genoux. Je dis : « C'est arrangé, salaud, mais ne recommence pas. »

Il se leva, suffoquant, me prit les mains, les baisa comme celles d'un prince, pleura, faillit perdre connaissance, embrassa Rivet, embrassa même Mme Morin qui le rejeta d'une poussée dans son fauteuil.

Mais il ne se remit jamais de ce coup-là, son émotion avait été trop brutale.

On ne l'appelait plus dans toute la contrée que « ce cochon de Morin », et cette épithète le traversait comme un coup d'épée chaque fois qu'il l'entendait.

Quand un voyou dans la rue criait : « Cochon », il se retournait la tête par instinct. Ses amis le criblaient de plaisanteries horribles, lui demandant, chaque fois qu'ils mangeaient du jambon : « Est-ce du tien ? »

Il mourut deux ans plus tard.

Quant à moi, me présentant à la députation en 1875, j'allai faire une visite intéressée au nouveau notaire de Tousserre, Me Belloncle. Une grande femme opulente et belle me reçut.

« Vous ne me reconnaissez pas ? » dit-elle.

Je balbutiai : « Mais... non... madame.

— Henriette Bonnel.

— Ah ! » Et je me sentis devenir pâle.

Elle semblait parfaitement à son aise, et souriait en me regardant.

Dès qu'elle m'eut laissé seul avec son mari, il me prit les mains, les serrant à les broyer : « Voici longtemps,

1. Cataplasmes, emplâtres.

cher monsieur, que je veux aller vous voir. Ma femme m'a tant parlé de vous. Je sais... oui, je sais en quelle circonstance douloureuse vous l'avez connue, je sais aussi comme vous avez été parfait, plein de délicatesse, de tact, de dévouement dans l'affaire... » Il hésita, puis prononça plus bas, comme s'il eût articulé un mot grossier : « ... Dans l'affaire de ce cochon de Morin. »

LA FOLLE[1]

À Robert de Bonnières[2].

Tenez, dit M. Mathieu d'Endolin, les bécasses me rappellent une bien sinistre anecdote de la guerre.

Vous connaissez ma propriété dans le faubourg de Cormeil[3]. Je l'habitais au moment de l'arrivée des Prussiens.

J'avais alors pour voisine une espèce de folle, dont l'esprit s'était égaré sous les coups du malheur. Jadis, à l'âge de vingt-cinq ans, elle avait perdu, en un seul mois, son père, son mari et son enfant nouveau-né.

Quand la mort est entrée une fois dans une maison, elle y revient presque toujours immédiatement, comme si elle connaissait la porte.

La pauvre jeune femme, foudroyée par le chagrin, prit le lit, délira pendant six semaines. Puis, une sorte de lassitude calme succédant à cette crise violente, elle

1. Date de la première parution : 5 décembre 1882, dans *Le Gaulois*.

2. Robert de Bonnières de Wierre tenait une chronique au *Figaro*, au *Gaulois*, et à *Gil Blas*. Son salon, qui attirait gens de lettres et artistes, était couru.

3. À identifier peut-être avec Cormeilles, non loin de Pont-Audemer.

resta sans mouvement, mangeant à peine, remuant seulement les yeux. Chaque fois qu'on voulait la faire lever, elle criait comme si on l'eût tuée. On la laissa donc toujours couchée, ne la tirant de ses draps que pour les soins de sa toilette et pour retourner ses matelas.

Une vieille bonne restait près d'elle, la faisant boire de temps en temps ou mâcher un peu de viande froide. Que se passait-il dans cette âme désespérée ? On ne le sut jamais ; car elle ne parla plus. Songeait-elle aux morts ? Rêvassait-elle tristement, sans souvenir précis ? Ou bien sa pensée anéantie restait-elle immobile comme de l'eau sans courant ?

Pendant quinze années, elle demeura ainsi fermée et inerte.

La guerre vint ; et, dans les premiers jours de décembre, les Prussiens pénétrèrent à Cormeil.

Je me rappelle cela comme d'hier. Il gelait à fendre les pierres ; et j'étais étendu moi-même dans un fauteuil, immobilisé par la goutte, quand j'entendis le battement lourd et rythmé de leurs pas. De ma fenêtre, je les vis passer.

Ils défilaient interminablement, tous pareils, avec ce mouvement de pantins qui leur est particulier. Puis les chefs distribuèrent leurs hommes aux habitants. J'en eus dix-sept. La voisine, la folle, en avait douze, dont un commandant, vrai soudard, violent, bourru.

Pendant les premiers jours tout se passa normalement. On avait dit à l'officier d'à côté que la dame était malade ; et il ne s'en inquiéta guère. Mais bientôt cette femme qu'on ne voyait jamais l'irrita. Il s'informa de la maladie ; on répondit que son hôtesse était couchée depuis quinze ans par suite d'un violent chagrin. Il n'en crut rien sans doute, et s'imagina que la pauvre insensée ne quittait pas son lit par fierté, pour ne pas voir les Prussiens, et ne leur point parler, et ne les point frôler.

Il exigea qu'elle le reçût ; on le fit entrer dans sa chambre. Il demanda d'un ton brusque :

« Je vous prierai, matame, de fous lever et de tescentre pour qu'on fous foie. »

Elle tourna vers lui ses yeux vagues, ses yeux vides, et ne répondit pas.

Il reprit :

« Che ne tolérerai bas d'insolence. Si fous ne fous levez bas de ponne volonté, che trouverai pien un moyen de fous faire bromener tout seule. »

Elle ne fit pas un geste, toujours immobile comme si elle ne l'eût pas vu.

Il rageait, prenant ce silence calme pour une marque de mépris suprême. Et il ajouta :

« Si vous n'êtes pas tescentue temain... »

Puis, il sortit.

Le lendemain, la vieille bonne, éperdue, la voulut habiller ; mais la folle se mit à hurler en se débattant. L'officier monta bien vite ; et la servante, se jetant à ses genoux, cria :

« Elle ne veut pas, monsieur, elle ne veut pas. Pardonnez-lui ; elle est si malheureuse. »

Le soldat restait embarrassé n'osant, malgré sa colère, la faire tirer du lit par ses hommes. Mais soudain il se mit à rire et donna des ordres en allemand.

Et bientôt on vit sortir un détachement qui soutenait un matelas comme on porte un blessé. Dans ce lit qu'on n'avait point défait, la folle, toujours silencieuse, restait tranquille, indifférente aux événements tant qu'on la laissait couchée. Un homme par-derrière portait un paquet de vêtements féminins.

Et l'officier prononça en se frottant les mains :

« Nous ferrons pien si vous ne poufez bas vous hapiller toute seule et faire une bétite bromenate. »

Puis on vit s'éloigner le cortège dans la direction de la forêt d'Imauville[1].

1. Entre Bolbec et Fécamp ; Maupassant a passé une partie de son enfance dans cette région.

Deux heures plus tard les soldats revinrent tout seuls. On ne revit plus la folle. Qu'en avaient-ils fait ? Où l'avaient ils portée ! On ne le sut jamais.

La neige tombait maintenant jour et nuit, ensevelissant la plaine et les bois sous un linceul de mousse glacée. Les loups venaient hurler jusqu'à nos portes.

La pensée de cette femme perdue me hantait ; et je fis plusieurs démarches auprès de l'autorité prussienne, afin d'obtenir des renseignements. Je faillis être fusillé.

Le printemps revint. L'armée d'occupation s'éloigna. La maison de ma voisine restait fermée ; l'herbe drue poussait dans les allées.

La vieille bonne était morte pendant l'hiver. Personne ne s'occupait plus de cette aventure ; moi seul y songeais sans cesse.

Qu'avaient-ils fait de cette femme ? s'était-elle enfuie à travers les bois ! L'avait-on recueillie quelque part, et gardée dans un hôpital sans pouvoir obtenir d'elle aucun renseignement. Rien ne venait alléger mes doutes ; mais, peu à peu, le temps apaisa le souci de mon cœur.

Or, à l'automne suivant, les bécasses passèrent en masse ; et, comme ma goutte me laissait un peu de répit, je me traînai jusqu'à la forêt. J'avais déjà tué quatre ou cinq oiseaux à long bec, quand j'en abattis un qui disparut dans un fossé plein de branches. Je fus obligé d'y descendre pour y ramasser ma bête. Je la trouvai tombée auprès d'une tête de mort. Et brusquement le souvenir de la folle m'arriva dans la poitrine comme un coup de poing. Bien d'autres avaient expiré dans ces bois peut-être en cette année sinistre ; mais je ne sais pourquoi, j'étais sûr, sûr, vous dis-je, que je rencontrais la tête de cette misérable maniaque.

Et soudain je compris, je devinai tout. Ils l'avaient abandonnée sur ce matelas, dans la forêt froide et déserte ; et, fidèle à son idée fixe, elle s'était laissée mourir sous l'épais et léger duvet des neiges et sans remuer le bras ou la jambe.

Puis les loups l'avaient dévorée.

Et les oiseaux avaient fait leur nid avec la laine de son lit déchiré.

J'ai gardé ce triste ossement. Et je fais des vœux pour que nos fils ne voient plus jamais de guerre.

fin de casette

PIERROT [1]

À Henri Roujon [2].

Mme Lefèvre était une dame de campagne, une veuve, une de ces demi-paysannes à rubans et à chapeaux falbalas [3], de ces personnes qui parlent avec des cuirs [4], prennent en public des airs grandioses, et cachent une âme de brute prétentieuse sous des dehors comiques et chamarrés, comme elles dissimulent leurs grosses mains rouges sous des gants de soie écrue.

Elle avait pour servante une brave campagnarde toute simple, nommée Rose.

Les deux femmes habitaient une petite maison à volets verts, le long d'une route, en Normandie, au centre du pays de Caux.

1. Paru d'abord dans *Le Gaulois* (9 octobre 1882).
2. Henri Roujon (1853-1914), directeur des Beaux-Arts (1891), fréquenta les hommes de lettres les plus connus de son temps, comme Mallarmé. Il aida Maupassant, alors tout jeune écrivain, à obtenir un poste à l'Instruction publique en 1878.
3. Les falbalas étaient des bandes d'étoffe plissée qui servaient d'ornement. Ces chapeaux à volants étaient démodés à l'époque de Maupassant.
4. Liaisons incorrectes entre deux mots.

Comme elles possédaient, devant l'habitation, un étroit jardin, elles cultivaient quelques légumes.

Or, une nuit, on lui vola une douzaine d'oignons.

Dès que Rose s'aperçut du larcin, elle courut prévenir Madame, qui descendit en jupe de laine. Ce fut une désolation et une terreur. On avait volé, volé Mme Lefèvre ! Donc, on volait dans le pays, puis on pouvait revenir.

Et les deux femmes effarées contemplaient les traces de pas, bavardaient, supposaient des choses : « Tenez, ils ont passé par là. Ils ont mis leurs pieds sur le mur ; ils ont sauté dans la plate-bande. »

Et elles s'épouvantaient pour l'avenir. Comment dormir tranquilles maintenant !

Le bruit du vol se répandit. Les voisins arrivèrent, constatèrent, discutèrent à leur tour ; et les deux femmes expliquaient à chaque nouveau venu leurs observations et leurs idées.

Un fermier d'à côté leur offrit ce conseil : « Vous devriez avoir un chien. »

C'était vrai, cela ; elles devraient avoir un chien, quand ce ne serait que pour donner l'éveil. Pas un gros chien, Seigneur ! Que feraient-elles d'un gros chien ! Il les ruinerait en nourriture. Mais un petit chien (en Normandie, on prononce *quin*), un petit freluquet de *quin* qui jappe.

Dès que tout le monde fut parti, Mme Lefèvre discuta longtemps cette idée de chien. Elle faisait, après réflexion, mille objections, terrifiée par l'image d'une jatte pleine de pâtée ; car elle était de cette race parcimonieuse de dames campagnardes qui portent toujours des centimes dans leur poche pour faire l'aumône ostensiblement aux pauvres des chemins, et donner aux quêtes du dimanche.

Rose, qui aimait les bêtes, apporta ses raisons et les défendit avec astuce. Donc il fut décidé qu'on aurait un chien, un tout petit chien.

On se mit à sa recherche, mais on n'en trouvait que des grands, des avaleurs de soupe à faire frémir. L'épicier de Rolleville[1] en avait bien un, un tout petit ; mais il exigeait qu'on le lui payât deux francs, pour couvrir ses frais d'élevage. Mme Lefèvre déclara qu'elle voulait bien nourrir un « quin », mais qu'elle n'en achèterait pas.

Or, le boulanger, qui savait les événements, apporta, un matin, dans sa voiture, un étrange petit animal tout jaune, presque sans pattes, avec un corps de crocodile, une tête de renard et une queue en trompette, un vrai panache, grand comme tout le reste de sa personne. Un client cherchait à s'en défaire. Mme Lefèvre trouva fort beau ce roquet immonde, qui ne coûtait rien. Rose l'embrassa, puis demanda comment on le nommait. Le boulanger répondit : « Pierrot. »

Il fut installé dans une vieille caisse à savon et on lui offrit d'abord de l'eau à boire. Il but. On lui présenta ensuite un morceau de pain. Il mangea. Mme Lefèvre, inquiète, eut une idée : « Quand il sera bien accoutumé à la maison, on le laissera libre. Il trouvera à manger en rôdant par le pays. »

On le laissa libre, en effet, ce qui ne l'empêcha point d'être affamé. Il ne jappait d'ailleurs que pour réclamer sa pitance ; mais, dans ce cas, il jappait avec acharnement.

Tout le monde pouvait entrer dans le jardin. Pierrot allait caresser chaque nouveau venu, et demeurait absolument muet.

Mme Lefèvre cependant s'était accoutumée à cette bête. Elle en arrivait même à l'aimer, et à lui donner de sa main, de temps en temps, des bouchées de pain trempées dans la sauce de son fricot.

Mais elle n'avait nullement songé à l'impôt[2], et quand on lui réclama huit francs — huit francs, madame ! — pour ce freluquet de *quin* qui ne jappait seulement point, elle faillit s'évanouir de saisissement.

1. Village à une dizaine de kilomètres du Havre, vers Étretat.
2. Le 2 mai 1855, une taxe avait été établie, variable selon la fonction du chien (de garde, d'agrément ou de chasse).

Il fut immédiatement décidé qu'on se débarrasserait de Pierrot. Personne n'en voulut. Tous les habitants le refusèrent à dix lieues aux environs. Alors on se résolut, faute d'autre moyen, à lui faire « piquer du mas ».

« Piquer du mas », c'est « manger de la marne ». On fait piquer du mas à tous les chiens dont on veut se débarrasser.

Au milieu d'une vaste plaine, on aperçoit une espèce de hutte, ou plutôt un tout petit toit de chaume, posé sur le sol. C'est l'entrée de la marnière[1]. Un grand puits tout droit s'enfonce jusqu'à vingt mètres sous terre, pour aboutir à une série de longues galeries de mines.

On descend une fois par an dans cette carrière, à l'époque où l'on marne les terres. Tout le reste du temps, elle sert de cimetière aux chiens condamnés ; et souvent, quand on passe auprès de l'orifice, des hurlements plaintifs, des aboiements furieux ou désespérés, des appels lamentables montent jusqu'à vous.

Les chiens des chasseurs et des bergers s'enfuient avec épouvante des abords de ce trou gémissant ; et, quand on se penche au-dessus, il sort de là une abominable odeur de pourriture.

Des drames affreux s'y accomplissent dans l'ombre.

Quand une bête agonise depuis dix à douze jours dans le fond, nourrie par les restes immondes de ses devanciers, un nouvel animal, plus gros, plus vigoureux certainement, est précipité tout à coup. Ils sont là, seuls, affamés, les yeux luisants. Ils se guettent, se suivent, hésitent, anxieux. Mais la faim les presse : ils s'attaquent, luttent longtemps, acharnés ; et le plus fort mange le plus faible, le dévore vivant.

Quand il fut décidé qu'on ferait « piquer du mas »

1. Lieu d'exploitation de la marne, que l'on utilisait pour fertiliser la terre. Maupassant explique lui-même le terme dans *Les Bécasses* : « Gargan était fils d'un *marneux*, d'un de ces hommes qui descendent dans les marnières pour extraire cette sorte de pierre molle, blanche et fondante qu'on sème sur les terres. »

à Pierrot, on s'enquit d'un exécuteur. Le cantonnier qui binait la route demanda dix sous pour la course. Cela parut follement exagéré à Mme Lefèvre. Le goujat [1] du voisin se contentait de cinq sous ; c'était trop encore ; et, Rose ayant fait observer qu'il valait mieux qu'elles le portassent elles-mêmes, parce qu'ainsi il ne serait pas brutalisé en route et averti de son sort, il fut résolu qu'elles iraient toutes les deux à la nuit tombante.

On lui offrit, ce soir-là, une bonne soupe avec un doigt de beurre. Il l'avala jusqu'à la dernière goutte ; et, comme il remuait la queue de contentement, Rose le prit dans son tablier.

Elles allaient à grands pas, comme des maraudeuses, à travers la plaine. Bientôt elles aperçurent la marnière et l'atteignirent ; Mme Lefèvre se pencha pour écouter si aucune bête ne gémissait. — Non — il n'y en avait pas ; Pierrot serait seul. Alors Rose qui pleurait, l'embrassa, puis le lança dans le trou ; et elles se penchèrent toutes deux, l'oreille tendue.

Elles entendirent d'abord un bruit sourd ; puis la plainte aiguë, déchirante, d'une bête blessée, puis une succession de petits cris de douleur, puis des appels désespérés, des supplications de chien qui implorait, la tête levée vers l'ouverture.

Il jappait, oh ! il jappait !

Elles furent saisies de remords, d'épouvante, d'une peur folle et inexplicable ; et elles se sauvèrent en courant. Et, comme Rose allait plus vite, Mme Lefèvre criait : « Attendez-moi, Rose, attendez-moi ! »

Leur nuit fut hantée de cauchemars épouvantables. Mme Lefèvre rêva qu'elle s'asseyait à table pour manger la soupe, mais, quand elle découvrait la soupière, Pierrot était dedans. Il s'élançait et la mordait au nez.

Elle se réveilla et crut l'entendre japper encore. Elle écouta ; elle s'était trompée.

1. Apprenti.

Elle s'endormit de nouveau et se trouva sur une grande route, une route interminable, qu'elle suivait. Tout à coup, au milieu du chemin, elle aperçut un panier, un grand panier de fermier, abandonné ; et ce panier lui faisait peur.

Elle finissait cependant par l'ouvrir, et Pierrot, blotti dedans, lui saisissait la main, ne la lâchait plus ; et elle se sauvait éperdue, portant ainsi au bout du bras le chien suspendu, la gueule serrée.

Au petit jour, elle se leva, presque folle, et courut à la marnière.

Il jappait ; il jappait encore, il avait jappé toute la nuit. Elle se mit à sangloter et l'appela avec mille petits noms caressants. Il répondit avec toutes les inflexions tendres de sa voix de chien.

Alors elle voulut le revoir, se promettant de le rendre heureux jusqu'à sa mort.

Elle courut chez le puisatier chargé de l'extraction de la marne, et elle lui raconta son cas. L'homme écoutait sans rien dire. Quand elle eut fini, il prononça : « Vous voulez votre quin ? Ce sera quatre francs. »

Elle eut un sursaut ; toute sa douleur s'envola du coup.

« Quatre francs ! vous vous en feriez mourir ! quatre francs ! »

Il répondit : « Vous croyez que j' vas apporter mes cordes, mes manivelles, et monter tout ça, et m' n' aller là-bas avec mon garçon et m' faire mordre encore par votre maudit quin, pour l' plaisir de vous le r'donner ? fallait pas l' jeter. »

Elle s'en alla, indignée. — Quatre francs !

Aussitôt rentrée, elle appela Rose et lui dit les prétentions du puisatier. Rose, toujours résignée, répétait : « Quatre francs ! c'est de l'argent, madame. »

Puis, elle ajouta : « Si on lui jetait à manger, à ce pauvre quin, pour qu'il ne meure pas comme ça ? »

Mme Lefèvre approuva, toute joyeuse ; et les voilà reparties, avec un gros morceau de pain beurré.

Elles le coupèrent par bouchées qu'elles lançaient

l'une après l'autre, parlant tour à tour à Pierrot. Et sitôt que le chien avait achevé un morceau, il jappait pour réclamer le suivant.

Elles revinrent le soir, puis le lendemain, tous les jours. Mais elles ne faisaient plus qu'un voyage.

Or, un matin, au moment de laisser tomber la première bouchée, elles entendirent tout à coup un aboiement formidable dans le puits. Ils étaient deux ! On avait précipité un autre chien, un gros !

Rose cria : « Pierrot ! » Et Pierrot jappa, jappa. Alors on se mit à jeter la nourriture ; mais, chaque fois elles distinguaient parfaitement une bousculade terrible, puis les cris plaintifs de Pierrot mordu par son compagnon, qui mangeait tout, étant le plus fort.

Elles avaient beau spécifier : « C'est pour toi, Pierrot ! » Pierrot, évidemment, n'avait rien.

Les deux femmes, interdites, se regardaient ; et Mme Lefèvre prononça d'un ton aigre : « Je ne peux pourtant pas nourrir tous les chiens qu'on jettera là-dedans. Il faut y renoncer. »

Et, suffoquée à l'idée de tous ces chiens vivant à ses dépens, elle s'en alla, emportant même ce qui restait du pain qu'elle se mit à manger en marchant.

Rose la suivit en s'essuyant les yeux du coin de son tablier bleu.

MENUET[1]

À Paul Bourget[2].

Les grands malheurs ne m'attristent guère, dit Jean Bridelle, un vieux garçon qui passait pour sceptique. J'ai vu la guerre de bien près ; j'enjambais les corps sans apitoiement. Les fortes brutalités de la nature ou des hommes peuvent nous faire pousser des cris d'horreur ou d'indignation, mais ne nous donnent point ce pincement au cœur, ce frisson qui vous passe dans le dos à la vue de certaines petites choses navrantes.

La plus violente douleur qu'on puisse éprouver, certes, est la perte d'un enfant pour une mère, et la perte de la mère pour un homme. Cela est violent, terrible, cela bouleverse et déchire ; mais on guérit de ces catastrophes comme des larges blessures saignantes. Or, certaines rencontres, certaines choses entr'aperçues, devinées, certains chagrins secrets, certaines perfidies du sort, qui remuent en nous tout un monde douloureux de pensées, qui entrouvrent devant nous brusquement la porte mystérieuse des souffrances morales,

1. Première parution : *Le Gaulois* (20 novembre 1882).
2. Paul Bourget (1852-1935), poète et critique littéraire, ami de Maupassant, fut, lui aussi, hôte des salons mondains. Il est surtout connu pour ses *Essais de psychologie contemporaine*.

compliquées, incurables, d'autant plus profondes qu'elles semblent bénignes, d'autant plus cuisantes qu'elles semblent presque insaisissables, d'autant plus tenaces qu'elles semblent factices, nous laissent à l'âme comme une traînée de tristesse, un goût d'amertume, une sensation de désenchantement dont nous sommes longtemps à nous débarrasser.

J'ai toujours devant les yeux deux ou trois choses que d'autres n'eussent point remarquées assurément, et qui sont entrées en moi comme de longues et minces piqûres inguérissables.

Vous ne comprendriez peut-être pas l'émotion qui m'est restée de ces rapides impressions. Je ne vous en dirai qu'une. Elle est très vieille, mais vive comme d'hier. Il se peut que mon imagination seule ait fait les frais de mon attendrissement.

J'ai cinquante ans. J'étais jeune alors et j'étudiais le droit. Un peu triste, un peu rêveur, imprégné d'une philosophie mélancolique, je n'aimais guère les cafés bruyants, les camarades braillards, ni les filles stupides. Je me levais tôt ; et une de mes plus chères voluptés était de me promener seul, vers huit heures du matin, dans la pépinière du Luxembourg[1].

Vous ne l'avez pas connue, vous autres, cette pépinière ? C'était comme un jardin oublié de l'autre siècle, un jardin joli comme un doux sourire de vieille. Des haies touffues séparaient les allées étroites et régulières, allées calmes entre deux murs de feuillage taillés avec méthode. Les grands ciseaux du jardinier alignaient sans relâche ces cloisons de branches ; et, de place en place, on rencontrait des parterres de fleurs, des plates-bandes de petits arbres rangés comme des collégiens en promenade, des sociétés de rosiers magnifiques ou des régiments d'arbres à fruits.

Tout un coin de ce ravissant bosquet était habité par

1. Célèbre en son temps, la pépinière du Luxembourg fut détruite en 1867, malgré de nombreuses protestations.

les abeilles. Leurs maisons de paille, savamment espacées sur des planches, ouvraient au soleil leurs portes grandes comme l'entrée d'un dé à coudre ; et on rencontrait tout le long des chemins les mouches bourdonnantes et dorées, vraies maîtresses de ce lieu pacifique, vraies promeneuses de ces tranquilles allées en corridors.

Je venais là presque tous les matins. Je m'asseyais sur un banc et je lisais. Parfois je laissais retomber le livre sur mes genoux pour rêver, pour écouter autour de moi vivre Paris, et jouir du repos infini de ces charmilles à la mode ancienne.

Mais je m'aperçus bientôt que je n'étais pas seul à fréquenter ce lieu dès l'ouverture des barrières, et je rencontrais parfois, nez à nez, au coin d'un massif, un étrange petit vieillard.

Il portait des souliers à boucles d'argent, une culotte à pont, une redingote tabac d'Espagne, une dentelle en guise de cravate et un invraisemblable chapeau gris à grands bords et à grands poils, qui faisait penser au déluge.

Il était maigre, fort maigre, anguleux, grimaçant et souriant. Ses yeux vifs palpitaient, s'agitaient sous un mouvement continu des paupières ; et il avait toujours à la main une superbe canne à pommeau d'or qui devait être pour lui quelque souvenir magnifique.

Ce bonhomme m'étonna d'abord, puis m'intéressa outre mesure. Et je le guettais à travers les murs de feuilles, je le suivais de loin, m'arrêtant au détour des bosquets pour n'être point vu.

Et voilà qu'un matin, comme il se croyait bien seul, il se mit à faire des mouvements singuliers : quelques petits bonds d'abord, puis une révérence ; puis il battit, de sa jambe grêle, un entrechat encore alerte, puis il commença à pivoter galamment, sautillant, se trémoussant d'une façon drôle, souriant comme devant un public, faisant des grâces, arrondissant les bras, tortillant son pauvre corps de marionnette, adressant dans le vide de légers sauts attendrissants et ridicules. Il dansait !

Je demeurais pétrifié d'étonnement, me demandant lequel des deux était fou, lui, ou moi.

Mais il s'arrêta soudain, s'avança comme font les acteurs sur la scène, puis s'inclina en reculant avec des sourires gracieux et des baisers de comédienne qu'il jetait de sa main tremblante aux deux rangées d'arbres taillés.

Et il reprit avec gravité sa promenade.

À partir de ce jour, je ne le perdis plus de vue ; et, chaque matin, il recommençait son exercice invraisemblable.

Une envie folle me prit de lui parler. Je me risquai, et, l'ayant salué, je lui dis :

« Il fait bien bon aujourd'hui, monsieur. »

Il s'inclina.

« Oui, monsieur, c'est un vrai temps de jadis. »

Huit jours après, nous étions amis, et je connus son histoire. Il avait été maître de danse à l'Opéra, du temps du roi Louis XV. Sa belle canne était un cadeau du comte de Clermont. Et, quand on lui parlait de danse, il ne s'arrêtait plus de bavarder.

Or, voilà qu'un jour il me confia :

« J'ai épousé la Castris [1], monsieur. Je vous présenterai si vous voulez, mais elle ne vient ici que sur le tantôt. Ce jardin, voyez-vous, c'est notre plaisir et notre vie. C'est tout ce qui nous reste d'autrefois. Il nous semble que nous ne pourrions plus exister si nous ne l'avions point. Cela est vieux et distingué, n'est-ce pas ? Je crois y respirer un air qui n'a point changé depuis ma jeunesse. Ma femme et moi, nous y passons toutes nos après-midi. Mais, moi, j'y viens dès le matin, car je me lève de bonne heure. »

1. Nom inventé.

Dès que j'eus fini de déjeuner, je retournai au Luxembourg, et bientôt j'aperçus mon ami qui donnait le bras avec cérémonie à une toute vieille petite femme vêtue de noir, et à qui je fus présenté. C'était la Castris, la grande danseuse aimée des princes, aimée du roi, aimée de tout ce siècle galant qui semble avoir laissé dans le monde une odeur d'amour.

Nous nous assîmes sur un banc de pierre. C'était au mois de mai. Un parfum de fleurs voltigeait dans les allées proprettes ; un bon soleil glissait entre les feuilles et semait sur nous de larges gouttes de lumière. La robe noire de la Castris semblait toute mouillée de clarté.

Le jardin était vide. On entendait au loin rouler des fiacres.

« Expliquez-moi donc, dis-je au vieux danseur, ce que c'était que le menuet ? »

Il tressaillit.

« Le menuet, monsieur, c'est la reine des danses, et la danse des reines, entendez-vous ? Depuis qu'il n'y a plus de rois, il n'y a plus de menuet. »

Et il commença, en style pompeux, un long éloge dithyrambique auquel je ne compris rien. Je voulus me faire décrire les pas, tous les mouvements, les poses. Il s'embrouillait, s'exaspérant de son impuissance, nerveux et désolé.

Et soudain, se tournant vers son antique compagne, toujours silencieuse et grave :

« Élise, veux-tu, dis, veux-tu, tu seras bien gentille, veux-tu que nous montrions à Monsieur ce que c'était ? »

Elle tourna ses yeux inquiets de tous les côtés, puis se leva sans dire un mot et vint se placer en face de lui.

Alors je vis une chose inoubliable.

Ils allaient et venaient avec des simagrées enfantines, se souriaient, se balançaient, s'inclinaient, sautillaient pareils à deux vieilles poupées qu'aurait fait danser une mécanique ancienne, un peu brisée, construite jadis par un ouvrier fort habile, suivant la manière de son temps.

Et je les regardais, le cœur troublé de sensations

extraordinaires, l'âme émue d'une indicible mélancolie. Il me semblait voir une apparition lamentable et comique, l'ombre démodée d'un siècle. J'avais envie de rire et besoin de pleurer.

Tout à coup ils s'arrêtèrent, ils avaient terminé les figures de la danse. Pendant quelques secondes ils restèrent debout l'un devant l'autre, grimaçant d'une façon surprenante ; puis ils s'embrassèrent en sanglotant.

Je partais, trois jours après, pour la province. Je ne les ai point revus. Quand je revins à Paris, deux ans plus tard, on avait détruit la pépinière. Que sont-ils devenus sans le cher jardin d'autrefois, avec ses chemins en labyrinthe, son odeur du passé et les détours gracieux des charmilles ?

Sont-ils morts ? Errent-ils par les rues modernes comme des exilés sans espoir ? Dansent-ils, spectres falots, un menuet fantastique entre les cyprès d'un cimetière, le long des sentiers bordés de tombes, au clair de lune ?

Leur souvenir me hante, m'obsède, me torture, demeure en moi comme une blessure. Pourquoi ? Je n'en sais rien.

Vous trouverez cela ridicule, sans doute ?

LA PEUR[1]

À J.-K. Huysmans[2].

On remonta sur le pont après dîner. Devant nous, la Méditerranée n'avait pas un frisson sur toute sa surface, qu'une grande lune calme moirait. Le vaste bateau glissait, jetant sur le ciel, qui semblait ensemencé d'étoiles, un gros serpent de fumée noire ; et, derrière nous, l'eau toute blanche, agitée par le passage rapide du lourd bâtiment, battue par l'hélice, moussait, semblait se tordre, remuait tant de clartés qu'on eût dit de la lumière de lune bouillonnant.

Nous étions là, six ou huit, silencieux, admirant, l'œil tourné vers l'Afrique lointaine où nous allions. Le commandant, qui fumait un cigare au milieu de nous, reprit soudain la conversation du dîner.

« Oui, j'ai eu peur ce jour-là. Mon navire est resté six heures avec ce rocher dans le ventre, battu par la mer. Heureusement que nous avons été recueillis, vers le soir, par un charbonnier anglais qui nous aperçut. »

1. Paru dans *Le Gaulois* du 23 octobre 1882.
2. J.-K. Huysmans (1848-1907), auteur de *À rebours*, *Là-bas*, *En route*. C'est un des premiers amis littéraires de Maupassant, avec lequel il participa aux *Soirées de Médan*. L'année de la parution de la nouvelle, Huysmans avait écrit *À vau-l'eau*.

Alors un grand homme à figure brûlée, à l'aspect grave, un de ces hommes qu'on sent avoir traversé de longs pays inconnus, au milieu de dangers incessants, et dont l'œil tranquille semble garder, dans sa profondeur, quelque chose des paysages étranges qu'il a vus ; un de ces hommes qu'on devine trempés dans le courage, parla pour la première fois :

« Vous dites, commandant, que vous avez eu peur ; je n'en crois rien. Vous vous trompez sur le mot et sur la sensation que vous avez éprouvée. Un homme énergique n'a jamais peur en face du danger pressant. Il est ému, agité, anxieux ; mais la peur, c'est autre chose. »

Le commandant reprit en riant :

« Fichtre ! je vous réponds bien que j'ai eu peur, moi. »

Alors l'homme au teint bronzé prononça d'une voix lente :

— Permettez-moi de m'expliquer ! La peur (et les hommes les plus hardis peuvent avoir peur), c'est quelque chose d'effroyable, une sensation atroce, comme une décomposition de l'âme, un spasme affreux de la pensée et du cœur, dont le souvenir seul donne des frissons d'angoisse. Mais cela n'a lieu, quand on est brave, ni devant une attaque, ni devant la mort inévitable, ni devant toutes les formes connues du péril : cela a lieu dans certaines circonstances anormales, sous certaines influences mystérieuses, en face de risques vagues. La vraie peur, c'est quelque chose comme une réminiscence des terreurs fantastiques d'autrefois. Un homme qui croit aux revenants, et qui s'imagine apercevoir un spectre dans la nuit, doit éprouver la peur en toute son épouvantable horreur.

Moi, j'ai deviné la peur en plein jour, il y a dix ans environ. Je l'ai ressentie, l'hiver dernier, par une nuit de décembre.

Et, pourtant, j'ai traversé bien des hasards, bien des aventures qui semblaient mortelles. Je me suis battu souvent. J'ai été laissé pour mort par des voleurs. J'ai été condamné, comme insurgé, à être pendu, en Amérique, et jeté à la mer du pont d'un bâtiment sur les côtes de Chine. Chaque fois je me suis cru perdu, j'en ai pris immédiatement mon parti, sans attendrissement et même sans regrets.

Mais la peur, ce n'est pas cela.

Je l'ai pressentie en Afrique. Et pourtant elle est fille du Nord ; le soleil la dissipe comme un brouillard. Remarquez bien ceci, messieurs. Chez les Orientaux, la vie ne compte pour rien ; on est résigné tout de suite ; les nuits sont claires et vides de légendes, les âmes aussi vides des inquiétudes sombres qui hantent les cerveaux dans les pays froids. En Orient, on peut connaître la panique, on ignore la peur.

Eh bien ! voici ce qui m'est arrivé sur cette terre d'Afrique :

Je traversais les grandes dunes au sud de Ouargla. C'est là un des plus étranges pays du monde. Vous connaissez le sable uni, le sable droit des interminables plages de l'Océan. Eh bien ! figurez-vous l'Océan lui-même devenu sable au milieu d'un ouragan ; imaginez une tempête silencieuse de vagues immobiles en poussière jaune. Elles sont hautes comme des montagnes, ces vagues inégales, différentes, soulevées tout à fait comme des flots déchaînés, mais plus grandes encore, et striées comme de la moire. Sur cette mer furieuse, muette et sans mouvement, le dévorant soleil du sud verse sa flamme implacable et directe. Il faut gravir ces lames de cendre d'or, redescendre, gravir encore, gravir sans cesse, sans repos et sans ombre. Les chevaux râlent, enfoncent jusqu'aux genoux, et glissent en dévalant l'autre versant des surprenantes collines.

Nous étions deux amis suivis de huit spahis et de quatre chameaux avec leurs chameliers. Nous ne parlions plus, accablés de chaleur, de fatigue, et desséchés de soif comme ce désert ardent. Soudain un de ces hommes poussa une sorte de cri ; tous s'arrêtèrent ; et nous demeurâmes immobiles, surpris par un inexplicable phénomène connu des voyageurs en ces contrées perdues.

Quelque part, près de nous, dans une direction indéterminée, un tambour battait, le mystérieux tambour des dunes ; il battait distinctement, tantôt plus vibrant, tantôt affaibli, arrêtant, puis reprenant son roulement fantastique.

Les Arabes, épouvantés, se regardaient ; et l'un dit, en sa langue : « La mort est sur nous. » Et voilà que tout à coup mon compagnon, mon ami, presque mon frère, tomba de cheval, la tête en avant, foudroyé par une insolation.

Et pendant deux heures, pendant que j'essayais en vain de le sauver, toujours ce tambour insaisissable m'emplissait l'oreille de son bruit monotone, intermittent et incompréhensible ; et je sentais se glisser dans mes os la peur, la vraie peur, la hideuse peur, en face de ce cadavre aimé, dans ce trou incendié par le soleil entre quatre monts de sable, tandis que l'écho inconnu nous jetait, à deux cents lieues de tout village français, le battement rapide du tambour.

Ce jour-là, je compris ce que c'était que d'avoir peur ; je l'ai su mieux encore une autre fois...

Le commandant interrompit le conteur :

« Pardon, monsieur, mais ce tambour ? Qu'était-ce ? »

Le voyageur répondit :

— Je n'en sais rien. Personne ne sait. Les officiers, surpris souvent par ce bruit singulier, l'attribuent généralement à l'écho grossi, multiplié, démesurément enflé par les vallonnements des dunes, d'une grêle de grains de sable emportés dans le vent et heurtant une touffe d'herbes sèches ; car on a toujours remarqué que le phénomène se produit dans le voisinage de petites plantes brûlées par le soleil, et dures comme du parchemin.

Ce tambour ne serait donc qu'une sorte de mirage du son. Voilà tout. Mais je n'appris cela que plus tard.

J'arrive à ma seconde émotion.

C'était l'hiver dernier, dans une forêt du nord-est de la France. La nuit vint deux heures plus tôt, tant le ciel était sombre. J'avais pour guide un paysan qui marchait à mon côté, par un tout petit chemin, sous une voûte de sapins dont le vent déchaîné tirait des hurlements. Entre les cimes, je voyais courir des nuages en déroute, des nuages éperdus qui semblaient fuir devant une épouvante. Parfois, sous une immense rafale, toute la forêt s'inclinait dans le même sens avec un gémissement de souffrance ; et le froid m'envahissait, malgré mon pas rapide et mon lourd vêtement.

Nous devions souper et coucher chez un garde forestier dont la maison n'était plus éloignée de nous. J'allais là pour chasser.

Mon guide, parfois, levait les yeux et murmurait : « Triste temps ! » Puis il me parla des gens chez qui nous arrivions. Le père avait tué un braconnier deux ans auparavant, et, depuis ce temps, il semblait sombre, comme hanté d'un souvenir. Ses deux fils, mariés, vivaient avec lui.

Les ténèbres étaient profondes. Je ne voyais rien devant moi, ni autour de moi, et toute la branchure des arbres entrechoqués emplissait la nuit d'une rumeur incessante. Enfin, j'aperçus une lumière, et bientôt mon compagnon heurtait une porte. Des cris aigus de femmes nous répondirent. Puis, une voix d'homme, une voix étranglée, demanda : « Qui va là ? » Mon guide se nomma. Nous entrâmes. Ce fut un inoubliable tableau.

Un vieux homme à cheveux blancs, à l'œil fou, le fusil chargé dans la main, nous attendait debout au milieu de la cuisine, tandis que deux grands gaillards, armés de haches, gardaient la porte. Je distinguai dans les coins sombres deux femmes à genoux, le visage caché contre le mur.

On s'expliqua. Le vieux remit son arme contre le mur et ordonna de préparer ma chambre ; puis, comme les femmes ne bougeaient point, il me dit brusquement :

« Voyez-vous, monsieur, j'ai tué un homme, voilà deux ans cette nuit. L'autre année, il est revenu m'appeler. Je l'attends encore ce soir. »

Puis il ajouta d'un ton qui me fit sourire :

« Aussi, nous ne sommes pas tranquille. »

Je le rassurai comme je pus, heureux d'être venu justement ce soir-là, et d'assister au spectacle de cette terreur superstitieuse. Je racontai des histoires, et je parvins à calmer à peu près tout le monde.

Près du foyer, un vieux chien, presque aveugle et moustachu, un de ces chiens qui ressemblent à des gens qu'on connaît, dormait le nez dans ses pattes.

Au-dehors, la tempête acharnée battait la petite maison, et, par un étroit carreau, une sorte de judas placé près de la porte, je voyais soudain tout un fouillis d'arbres bousculés par le vent à la lueur de grands éclairs.

Malgré mes efforts, je sentais bien qu'une terreur profonde tenait ces gens, et chaque fois que je cessais de parler, toutes les oreilles écoutaient au loin. Las d'assister à ces craintes imbéciles, j'allais demander à me coucher, quand le vieux garde tout à coup fit un bond de sa chaise, saisit de nouveau son fusil, en bégayant d'une voix égarée : « Le voilà le voilà ! Je l'entends ! » Les deux femmes retombèrent à genoux dans leurs coins en se cachant le visage ; et les fils reprirent leurs haches. J'allais tenter encore de les apaiser, quand le chien endormi s'éveilla brusquement et, levant sa tête, tendant le cou, regardant vers le feu de son œil presque éteint, il poussa un de ces lugubres hurlements qui font tressaillir les voyageurs, le soir, dans la campagne. Tous les yeux se portèrent sur lui, il restait maintenant immobile, dressé sur ses pattes comme hanté d'une vision, et il se remit à hurler vers quelque chose d'invisible, d'inconnu, d'affreux sans doute, car tout son poil se hérissait. Le garde, livide, cria : « Il le sent !

il le sent ! il était là quand je l'ai tué. » Et les femmes égarées se mirent, toutes les deux, à hurler avec le chien.

Malgré moi, un grand frisson me courut entre les épaules. Cette vision de l'animal dans ce lieu, à cette heure, au milieu de ces gens éperdus, était effrayante à voir.

Alors, pendant une heure, le chien hurla sans bouger ; il hurla comme dans l'angoisse d'un rêve ; et la peur, l'épouvantable peur entrait en moi ; la peur de quoi ? Le sais-je ? C'était la peur, voilà tout.

Nous restions immobiles, livides, dans l'attente d'un événement affreux, l'oreille tendue, le cœur battant, bouleversés au moindre bruit. Et le chien se mit à tourner autour de la pièce, en sentant les murs et gémissant toujours. Cette bête nous rendait fous ! Alors, le paysan qui m'avait amené, se jeta sur elle, dans une sorte de paroxysme de terreur furieuse, et, ouvrant une porte donnant sur une petite cour, jeta l'animal dehors.

Il se tut aussitôt ; et nous restâmes plongés dans un silence plus terrifiant encore. Et soudain, tous ensemble, nous eûmes une sorte de sursaut : un être glissait contre le mur du dehors vers la forêt ; puis il passa contre la porte, qu'il sembla tâter, d'une main hésitante ; puis on n'entendit plus rien pendant deux minutes qui firent de nous des insensés ; puis il revint, frôlant toujours la muraille ; et il gratta légèrement, comme ferait un enfant avec son ongle ; puis soudain une tête apparut contre la vitre du judas, une tête blanche avec des yeux lumineux comme ceux des fauves. Et un son sortit de sa bouche, un son indistinct, un murmure plaintif.

Alors un bruit formidable éclata dans la cuisine. Le vieux garde avait tiré. Et aussitôt les fils se précipitèrent, bouchèrent le judas en dressant la grande table qu'ils assujettirent avec le buffet.

Et je vous jure qu'au fracas du coup de fusil que je n'attendais point, j'eus une telle angoisse du cœur, de l'âme et du corps, que je me sentis défaillir, prêt à mourir de peur.

Nous restâmes là jusqu'à l'aurore, incapables de bouger, de dire un mot, crispés dans un affolement indicible.

On n'osa débarricader la sortie qu'en apercevant, par la fente d'un auvent, un mince rayon de jour.

Au pied du mur, contre la porte, le vieux chien gisait, la gueule brisée d'une balle.

Il était sorti de la cour en creusant un trou sous une palissade.

L'homme au visage brun se tut ; puis il ajouta :

« Cette nuit-là pourtant, je ne courus aucun danger ; mais j'aimerais mieux recommencer toutes les heures où j'ai affronté les plus terribles périls, que la seule minute du coup de fusil sur la tête barbue du judas. »

FARCE NORMANDE[1]

À A. de Joinville[2].

La procession se déroulait dans le chemin creux ombragé par les grands arbres poussés sur les talus des fermes. Les jeunes mariés venaient d'abord, puis les parents, puis les invités, puis les pauvres du pays, et les gamins qui tournaient autour du défilé, comme des mouches, passaient entre les rangs, grimpaient aux branches pour mieux voir.

Le marié était un beau gars, Jean Patu, le plus riche fermier du pays. C'était, avant tout, un chasseur frénétique, qui perdait le bon sens à satisfaire cette passion, et dépensait de l'argent gros comme lui pour ses chiens, ses gardes, ses furets et ses fusils.

La mariée, Rosalie Roussel, avait été fort courtisée par tous les partis des environs, car on la trouvait avenante, et on la savait bien dotée ; mais elle avait choisi Patu, peut-être parce qu'il lui plaisait mieux que les autres, mais plutôt encore, en Normande réfléchie, parce qu'il avait plus d'écus.

1. Sous le pseudonyme de « Maufrigneuse », Maupassant fit paraître ce conte dans *Gil Blas* du 8 août 1882.
2. Ami proche de Maupassant, avec lequel il canota à Chatou.

Lorsqu'ils tournèrent la grande barrière de la ferme maritale, quarante coups de fusil éclatèrent sans qu'on vît les tireurs cachés dans les fossés. À ce bruit, une grosse gaieté saisit les hommes qui gigotaient lourdement en leurs habits de fête ; et Patu, quittant sa femme, sauta sur un valet qu'il apercevait derrière un arbre, empoigna son arme, et lâcha lui-même un coup de feu en gambadant comme un poulain.

Puis on se remit en route sous les pommiers déjà lourds de fruits, à travers l'herbe haute, au milieu des veaux qui regardaient de leurs gros yeux, se levaient lentement et restaient debout, le mufle tendu vers la noce.

Les hommes redevenaient graves en approchant du repas. Les uns, les riches, étaient coiffés de hauts chapeaux de soie luisants, qui semblaient dépaysés en ce lieu ; les autres portaient d'anciens couvre-chefs à poils longs, qu'on aurait dits en peau de taupe ; les plus humbles étaient couronnés de casquettes.

Toutes les femmes avaient des châles lâchés dans le dos, et dont elles tenaient les bouts sur leurs bras avec cérémonie. Ils étaient rouges, bigarrés, flamboyants, ces châles ; et leur éclat semblait étonner les poules noires sur le fumier, les canards au bord de la mare, et les pigeons sur les toits de chaume.

Tout le vert de la campagne, le vert de l'herbe et des arbres, semblait exaspéré au contact de cette pourpre ardente et les deux couleurs ainsi voisines devenaient aveuglantes sous le feu du soleil de midi.

La grande ferme paraissait attendre là-bas, au bout de la voûte des pommiers. Une sorte de fumée sortait de la porte et des fenêtres ouvertes, et une odeur épaisse de mangeaille s'exhalait du vaste bâtiment, de toutes ses ouvertures, des murs eux-mêmes.

Comme un serpent, la suite des invités s'allongeait à travers la cour. Les premiers, atteignant la maison, brisaient la chaîne, s'éparpillaient, tandis que là-bas il en entrait toujours par la barrière ouverte. Les fossés maintenant étaient garnis de gamins et de pauvres, curieux ; et les coups de fusil ne cessaient pas, éclatant de tous les côtés à la fois, mêlant à l'air une buée de poudre et cette odeur qui grise comme de l'absinthe.

Devant la porte, les femmes tapaient sur leurs robes pour en faire tomber la poussière, dénouaient les oriflammes qui servaient de rubans à leurs chapeaux, défaisaient leurs châles et les posaient sur leurs bras, puis entraient dans la maison pour se débarrasser définitivement de ces ornements.

La table était mise dans la grande cuisine, qui pouvait contenir cent personnes.

On s'assit à deux heures. À huit heures on mangeait encore. Les hommes déboutonnés, en bras de chemise, la face rougie, engloutissaient comme des gouffres. Le cidre jaune luisait, joyeux, clair et doré, dans les grands verres, à côté du vin coloré, du vin sombre, couleur de sang.

Entre chaque plat on faisait un trou, le trou normand, avec un verre d'eau-de-vie qui jetait du feu dans les corps et de la folie dans les têtes.

De temps en temps, un convive plein comme une barrique, sortait jusqu'aux arbres prochains, se soulageait, puis rentrait avec une faim nouvelle aux dents.

Les fermières, écarlates, oppressées, les corsages tendus comme des ballons, coupées en deux par le corset, gonflées du haut et du bas, restaient à table par pudeur. Mais une d'elles, plus gênée, étant sortie, toutes alors se levèrent à la suite. Elles revenaient plus joyeuses, prêtes à rire. Et les lourdes plaisanteries commencèrent.

C'étaient des bordées d'obscénités lâchées à travers la table, et toutes sur la nuit nuptiale. L'arsenal de l'esprit paysan fut vidé. Depuis cent ans, les mêmes grivoiseries servaient aux mêmes occasions, et, bien que chacun les connût, elles portaient encore, faisaient partir en un rire retentissant les deux enfilées de convives.

Un vieux à cheveux gris appelait : « Les voyageurs pour Mézidon en voiture. » Et c'étaient des hurlements de gaieté.

Tout au bout de la table, quatre gars, des voisins,

préparaient des farces aux mariés, et ils semblaient en tenir une bonne, tant ils trépignaient en chuchotant.

L'un d'eux, soudain profitant d'un moment de calme, cria :

« C'est les braconniers qui vont s'en donner c'te nuit, avec la lune qu'y a !... Dis donc, Jean, c'est pas c'te lune-là qu'tu guetteras, toi ? »

Le marié, brusquement, se tourna :

« Qu'i z'y viennent, les braconniers ! »

Mais l'autre se mit à rire :

« Ah ! i peuvent y venir ; tu quitteras pas ta besogne pour ça ! »

Toute la tablée fut secouée par la joie. Le sol en trembla, les verres vibrèrent.

Mais le marié, à l'idée qu'on pouvait profiter de sa noce pour braconner chez lui devint furieux :

« J'te dis qu'ça ! qu'i z'y viennent ! »

Alors ce fut une pluie de polissonneries à double sens qui faisaient un peu rougir la mariée, toute frémissante d'attente.

Puis, quand on eut bu des barils d'eau-de-vie, chacun partit se coucher ; et les jeunes époux entrèrent en leur chambre, située au rez-de-chaussée, comme toutes les chambres de ferme ; et, comme il y faisait un peu chaud, ils ouvrirent la fenêtre et fermèrent l'auvent. Une petite lampe de mauvais goût, cadeau du père de la femme, brûlait sur la commode ; et le lit était prêt à recevoir le couple nouveau, qui ne mettait point à son premier embrassement tout le cérémonial des bourgeois dans les villes.

Déjà la jeune femme avait enlevé sa coiffure et sa robe, et elle demeurait en jupon, délaçant ses bottines, tandis que Jean achevait un cigare, en regardant de coin sa compagne.

Il la guettait d'un œil luisant, plus sensuel que tendre ; car il la désirait plutôt qu'il ne l'aimait ; et, soudain, d'un mouvement brusque, comme un homme qui va se mettre à l'ouvrage, il enleva son habit.

Elle avait défait ses bottines, et maintenant elle

retirait ses bas, puis elle lui dit, le tutoyant depuis l'enfance : « Va te cacher là-bas, derrière les rideaux, que j'me mette au lit. »

Il fit mine de refuser, puis il y alla d'un air sournois, et se dissimula, sauf la tête. Elle riait, voulait envelopper ses yeux, et ils jouaient d'une façon amoureuse et gaie, sans pudeur apprise et sans gêne.

Pour finir il céda ; alors, en une seconde, elle dénoua son dernier jupon, qui glissa le long de ses jambes, tomba autour de ses pieds et s'aplatit en rond par terre. Elle l'y laissa, l'enjamba, nue sous la chemise flottante et elle se glissa dans le lit, dont les ressorts chantèrent sous son poids.

Aussitôt il arriva, déchaussé lui-même, en pantalon, et il se courbait vers sa femme, cherchant ses lèvres qu'elle cachait dans l'oreiller, quand un coup de feu retentit au loin, dans la direction du bois des Râpées, lui sembla-t-il.

Il se redressa inquiet, le cœur crispé, et, courant à la fenêtre, il décrocha l'auvent.

La pleine lune baignait la cour d'une lumière jaune. L'ombre des pommiers faisait des taches sombres à leur pied ; et, au loin, la campagne, couverte de moissons mûres, luisait.

Comme Jean s'était penché au-dehors, épiant toutes les rumeurs de la nuit, deux bras nus vinrent se nouer sous son cou, et sa femme, le tirant en arrière, murmura : « Laisse donc, qu'est-ce que ça fait, viens-t'en. »

Il se retourna, la saisit, l'étreignit, la palpant sous la toile légère ; et l'enlevant dans ses bras robustes, il l'emporta vers leur couche.

Au moment où il la posait sur le lit, qui plia sous le poids, une nouvelle détonation, plus proche celle-là, retentit.

Alors Jean, secoué d'une colère tumultueuse, jura : « Nom de D... ! ils croient que je ne sortirai pas à cause de toi ?... Attends, attends ! » Il se chaussa, décrocha son fusil toujours pendu à portée de sa main, et, comme sa femme se traînait à ses genoux et le suppliait, éperdue, il se dégagea vivement, courut à la fenêtre et sauta dans la cour.

Elle attendit une heure, deux heures, jusqu'au jour. Son mari ne rentra pas. Alors elle perdit la tête, appela, raconta la fureur de Jean et sa course après les braconniers.

Aussitôt les valets, les charretiers, les gars partirent à la recherche du maître.

On le retrouva à deux lieues de la ferme, ficelé des pieds à la tête, à moitié mort de fureur, son fusil tordu, sa culotte à l'envers, avec trois lièvres trépassés autour du cou et une pancarte sur la poitrine :

« Qui va à la chasse, perd sa place. »

Et, plus tard, quand il racontait cette nuit d'épousailles, il ajoutait : « Oh ! pour une farce ! c'était une bonne farce. Ils m'ont pris dans un collet comme un lapin, les salauds, et ils m'ont caché la tête dans un sac. Mais si je les tâte un jour, gare à eux ! »

Et voilà comment on s'amuse, les jours de noce, au pays normand.

4

LES SABOTS[1]

À Léon Fontaine[2].

Le vieux curé bredouillait les derniers mots de son sermon au-dessus des bonnets blancs des paysannes et des cheveux rudes ou pommadés des paysans. Les grands paniers des fermières venues de loin pour la messe étaient posés à terre à côté d'elles ; et la lourde chaleur d'un jour de juillet dégageait de tout le monde une odeur de bétail, un fumet de troupeau. Les voix des coqs entraient par la grande porte ouverte, et aussi les meuglements des vaches couchées dans un champ voisin. Parfois un souffle d'air chargé d'arômes des champs s'engouffrait sous le portail et, en soulevant sur son passage les longs rubans des coiffures, il allait faire vaciller sur l'autel les petites flammes jaunes au bout des cierges... « Comme le désire le bon Dieu. Ainsi soit-il ! » prononçait le prêtre. Puis il se tut, ouvrit un livre et se mit, comme chaque semaine, à recommander à ses ouailles les petites affaires intimes de la commune.

1. Paru dans *Gil Blas*, 21 janvier 1883 (Maufrigneuse). Un long préambule, supprimé dans la publication en recueil, ouvrait le conte.
2. Surnommé « Petit-Bleu », ami de jeunesse de l'auteur, un des « canotiers ».

C'était un vieil homme à cheveux blancs qui administrait la paroisse depuis bientôt quarante ans, et le prône lui servait pour communiquer familièrement avec tout son monde.

Il reprit : « Je recommande à vos prières Désiré Vallin, qu'est bien malade et aussi la Paumelle qui ne se remet pas vite de ses couches. »

Il ne savait plus ; il cherchait les bouts de papier posés dans un bréviaire. Il en retrouva deux enfin, et continua : « Il ne faut pas que les garçons et les filles viennent comme ça, le soir, dans le cimetière, ou bien je préviendrai le garde champêtre. — M. Césaire Omont voudrait bien trouver une jeune fille honnête comme servante. » Il réfléchit encore quelques secondes, puis ajouta : « C'est tout, mes frères, c'est la grâce que je vous souhaite, au nom du Père, et du Fils, et du Saint-Esprit. »

Et il descendit de la chaire pour terminer sa messe.

Quand les Malandain furent rentrés dans leur chaumière, la dernière du hameau de la Sablière, sur la route de Fourville[1], le père, un vieux petit paysan sec et ridé, s'assit devant la table, pendant que sa femme décrochait la marmite et que sa fille Adélaïde prenait dans le buffet les verres et les assiettes, et il dit : « Ça s'rait p't-être bon, c'te place chez maîtr' Omont, vu que le v'là veuf, que sa bru l'aime pas, qu'il est seul et qu'il a d' quoi. J'ferions p't-être ben d'y envoyer Adélaïde. »

La femme posa sur la table la marmite toute noire, enleva le couvercle, et, pendant que montait au plafond une vapeur de soupe pleine d'une odeur de choux, elle réfléchit.

L'homme reprit : « Il a d' quoi, pour sûr. Mais qu'il faudrait être dégourdi et qu'Adélaïde l'est pas un brin. »

1. Nom inventé.

La femme alors articula : « J' pourrions voir tout d'même. » Puis, se tournant vers sa fille, une gaillarde à l'air niais, aux cheveux jaunes, aux grosses joues rouges comme la peau des pommes, elle cria : « T'entends, grande bête. T'iras chez maîtr' Omont t' proposer comme servante, et tu f'ras tout c' qu'il te commandera. »

La fille se mit à rire sottement sans répondre. Puis tous trois commencèrent à manger.

Au bout de dix minutes, le père reprit : « Écoute un mot, la fille, et tâche d'n'point te mettre en défaut sur ce que j'vas te dire... »

Et il lui traça en termes lents et minutieux toute une règle de conduite, prévoyant les moindres détails, la préparant à cette conquête d'un vieux veuf mal avec sa famille.

La mère avait cessé de manger pour écouter, et elle demeurait, la fourchette à la main, les yeux sur son homme et sur sa fille tour à tour, suivant cette instruction avec une attention concentrée et muette.

Adélaïde restait inerte, le regard errant et vague, docile et stupide.

Dès que le repas fut terminé, la mère lui fit mettre son bonnet, et elles partirent toutes deux pour aller trouver M. Césaire Omont. Il habitait une sorte de petit pavillon de briques adossé aux bâtiments d'exploitation qu'occupaient ses fermiers. Car il s'était retiré du faire-valoir, pour vivre de ses rentes.

Il avait environ cinquante-cinq ans ; il était gros, jovial et bourru comme un homme riche. Il riait et criait à faire tomber les murs, buvait du cidre et de l'eau-de-vie à pleins verres, et passait encore pour chaud, malgré son âge.

Il aimait à se promener dans les champs, les mains derrière le dos, enfonçant ses sabots de bois dans la terre grasse, considérant la levée du blé ou la floraison des colzas d'un œil d'amateur à son aise, qui aime ça, mais qui ne se la foule plus.

On disait de lui : « C'est un père Bon-Temps, qui n'est pas bien levé tous les jours. »

Il reçut les deux femmes, le ventre à table, achevant son café. Et, se renversant, il demanda :

« Qu'est-ce que vous désirez ? »

La mère prit la parole :

« C'est not' fille Adélaïde que j' viens vous proposer pour servante, vu c' qu'a dit çu matin monsieur le curé. »

Maître Omont considéra la fille, puis brusquement : « Quel âge qu'elle a, c'te grande bique-là ?

— Vingt-un ans à la Saint-Michel, monsieur Omont.

— C'est bien ; all' aura quinze francs par mois et l' fricot. J' l'attends d'main, pour faire ma soupe du matin. »

Et il congédia les deux femmes.

Adélaïde entra en fonctions le lendemain et se mit à travailler dur, sans dire un mot, comme elle faisait chez ses parents.

Vers neuf heures, comme elle nettoyait les carreaux de la cuisine, M. Omont la héla :

« Adélaïde ! »

Elle accourut. « Me v'là, not' maître. »

Dès qu'elle fut en face de lui, les mains rouges et abandonnées, l'œil troublé, il déclara : « Écoute un peu, qu'il n'y ait pas d'erreur entre nous. T'es ma servante, mais rien de plus. T'entends. Nous ne mêlerons point nos sabots.

— Oui, not' maître.

— Chacun sa place, ma fille, t'as ta cuisine ; j'ai ma salle. À part ça, tout sera pour té comme pour mé. C'est convenu ?

— Oui, not' maître.

— Allons, c'est bien, va à ton ouvrage. »

Et elle alla reprendre sa besogne.

À midi elle servit le dîner du maître dans sa petite salle à papier peint, puis, quand la soupe fut sur la table, elle alla prévenir M. Omont.

« C'est servi, not' maître. »

Il entra, s'assit, regarda autour de lui, déplia sa serviette, hésita une seconde, puis, d'une voix de tonnerre :

« Adélaïde ! »

Elle arriva, effarée. Il cria comme s'il allait la massacrer. « Eh bien, nom de D... et té, oùsqu'est ta place ?

— Mais... not' maître... »

Il hurlait : « J'aime pas manger tout seul, nom de D... ; tu vas te mett' là ou bien foutre le camp si tu n' veux pas. Va chercher t'n'assiette et ton verre. »

Épouvantée, elle apporta son couvert en balbutiant : « Me v'là not' maître. »

Et elle s'assit en face de lui.

Alors il devint jovial ; il trinquait, tapait sur la table, racontait des histoires qu'elle écoutait les yeux baissés, sans oser prononcer un mot.

De temps en temps elle se levait pour aller chercher du pain, du cidre, des assiettes.

En apportant le café, elle ne déposa qu'une tasse devant lui ; alors, repris de colère, il grogna :

« Eh bien, et pour té ?

— J' n'en prends point, not' maître.

— Pourquoi que tu n'en prends point ?

— Parce que je l'aime point. »

Alors il éclata de nouveau : « J'aime pas prend' mon café tout seul, nom de D... Si tu n' veux pas t' mett' à en prendre itou, tu vas foutre le camp, nom de D... Va chercher une tasse et plus vite que ça. »

Elle alla chercher une tasse, se rassit, goûta la noire liqueur, fit la grimace, mais, sous l'œil furieux du maître, avala jusqu'au bout. Puis il lui fallut boire le premier verre d'eau-de-vie de la rincette, le second du pousse-rincette, et le troisième du coup-de-pied-au-cul.

Et M. Omont la congédia. « Va laver ta vaisselle maintenant, t'es une bonne fille. »

Il en fut de même au dîner. Puis elle dut faire sa partie de dominos ; puis il l'envoya se mettre au lit.

« Va te coucher, je monterai tout à l'heure. »

Et elle gagna sa chambre, une mansarde sous le toit. Elle fit sa prière, se dévêtit et se glissa dans ses draps.

Mais soudain elle bondit, effarée. Un cri furieux faisait trembler la maison.

« Adélaïde ? »

Elle ouvrit sa porte et répondit de son grenier :

« Me v'là, not' maître.

— Oùsque t'es ?

— Mais j' suis dans mon lit, donc, not' maître. »

Alors il vociféra : « Veux-tu bien descendre, nom de D... J'aime pas coucher tout seul, nom de D..., et si tu n' veux point, tu vas me foutre le camp, nom de D... »

Alors, elle répondit d'en haut, éperdue, cherchant sa chandelle :

« Me v'là, not' maître ! »

Et il entendit ses petits sabots découverts battre le sapin de l'escalier ; et, quand elle fut arrivée aux dernières marches, il la prit par le bras, et dès qu'elle eut laissé devant la porte ses étroites chaussures de bois à côté des grosses galoches du maître, il la poussa dans sa chambre en grognant :

« Plus vite que ça, donc, nom de D... ! »

Et elle répétait sans cesse, ne sachant plus ce qu'elle disait :

« Me v'là, me v'là, not' maître. »

Six mois après, comme elle allait voir ses parents, un dimanche, son père l'examina curieusement, puis demanda :

« T'es-ti point grosse ? »

Elle restait stupide regardant son ventre, répétant : « Mais non, je n' crois point. »

Alors, il l'interrogea, voulant tout savoir :

« Dis-mé si vous n'avez point, quéque soir, mêlé vos sabots ?

— Oui, je les ons mêlés l' premier soir et puis l's autres.

— Mais alors t'es pleine, grande futaille. »

Elle se mit à sangloter, balbutiant : « J' savais ti, mé ? J' savais ti, mé ? »

Le père Malandain la guettait, l'œil éveillé, la mine satisfaite. Il demanda :

« Quéque tu ne savais point ? »

Elle prononça, à travers ses pleurs : « J' savais ti, mé, que ça se faisait comme ça, d's'éfants ! »

Sa mère rentrait. L'homme articula, sans colère : « La v'là grosse, à c't'heure. »

Mais la femme se fâcha, révoltée d'instinct, injuriant à pleine gueule sa fille en larmes, la traitant de « manante » et de « traînée ».

Alors le vieux la fit taire. Et comme il prenait sa casquette pour aller causer de leurs affaires avec maît' Césaire Omont, il déclara :

« All' est tout d' même encore pu sotte que j'aurais cru. All' n' savait point c' qu'all' faisait, c'te niente[1]. »

Au prône du dimanche suivant, le vieux curé publiait les bans de M. Onufre-Césaire Omont avec Céleste Adélaïde Malandain.

1. « Nient / niente » signifie en dialecte normand homme de rien, stupide. (Cf. le conte *Aux champs*, où l'auteur utilise la forme masculine : « Vous n'êtes que des nients. »)

[illegible]

[illegible] [illegible] [illegible]

[illegible] 2 [illegible] heures [illegible]

[illegible] [illegible] [illegible]

[illegible] [illegible] [illegible]

[illegible] [illegible] [illegible]

[illegible] [illegible] [illegible] M. [illegible] [illegible] Céleste [illegible]

[illegible]

LA REMPAILLEUSE[1]

À Léon Hennique[2].

C'était à la fin du dîner d'ouverture de chasse chez le marquis de Bertrans. Onze chasseurs, huit jeunes femmes et le médecin du pays étaient assis autour de la grande table illuminée, couverte de fruits et de fleurs.

On vint à parler d'amour, et une grande discussion s'éleva, l'éternelle discussion, pour savoir si on pouvait aimer vraiment une fois ou plusieurs fois. On cita des exemples de gens n'ayant jamais eu qu'un amour sérieux ; on cita aussi d'autres exemples de gens ayant aimé souvent, avec violence. Les hommes, en général, prétendaient que la passion, comme les maladies, peut frapper plusieurs fois le même être, et le frapper à le tuer si quelque obstacle se dresse devant lui. Bien que cette manière de voir ne fût pas contestable, les femmes, dont l'opinion s'appuyait sur la poésie bien plus que sur l'observation, affirmaient que l'amour, l'amour vrai, le grand amour, ne pouvait tomber qu'une fois

1. Première publication : *Le Gaulois*, 17 septembre 1882.
2. Ami de Maupassant, Léon Hennique (1851-1935) a participé aux *Soirées de Médan*. Il a été l'un des premiers membres de l'Académie Goncourt.

sur un mortel, qu'il était semblable à la foudre, cet amour, et qu'un cœur touché par lui demeurait ensuite tellement vidé, ravagé, incendié, qu'aucun autre sentiment puissant, même aucun rêve, n'y pouvait germer de nouveau.

Le marquis ayant aimé beaucoup, combattait vivement cette croyance :

« Je vous dis, moi, qu'on peut aimer plusieurs fois avec toutes ses forces et toute son âme. Vous me citez des gens qui se sont tués par amour, comme preuve de l'impossibilité d'une seconde passion. Je vous répondrai que, s'ils n'avaient pas commis cette bêtise de se suicider, ce qui leur enlevait toute chance de rechute, ils se seraient guéris ; et ils auraient recommencé, et toujours, jusqu'à leur mort naturelle. Il en est des amoureux comme des ivrognes. Qui a bu boira — qui a aimé aimera. C'est une affaire de tempérament, cela. »

On prit pour arbitre le docteur, vieux médecin parisien retiré aux champs, et on le pria de donner son avis.

Justement il n'en avait pas :

« Comme l'a dit le marquis, c'est une affaire de tempérament ; quant à moi, j'ai eu connaissance d'une passion qui dura cinquante-cinq ans sans un jour de répit, et qui ne se termina que par la mort. »

La marquise battit des mains.

« Est-ce beau cela ! Et quel rêve d'être aimé ainsi ! Quel bonheur de vivre cinquante-cinq ans tout enveloppé de cette affection acharnée et pénétrante ! Comme il a dû être heureux et bénir la vie celui qu'on adora de la sorte ! »

Le médecin sourit :

« En effet, madame, vous ne vous trompez pas sur ce point, que l'être aimé fut un homme. Vous le connaissez, c'est M. Chouquet, le pharmacien du bourg. Quant à elle, la femme, vous l'avez connue aussi, c'est la vieille rempailleuse de chaises qui venait tous les ans au château. Mais je vais me faire mieux comprendre. »

L'enthousiasme des femmes était tombé ; et leur visage dégoûté disait : « Pouah ! » comme si l'amour n'eût dû frapper que des êtres fins et distingués, seuls dignes de l'intérêt des gens comme il faut.

Le médecin reprit :

J'ai été appelé, il y a trois mois, auprès de cette vieille femme, à son lit de mort. Elle était arrivée, la veille, dans la voiture qui lui servait de maison, traînée par la rosse que vous avez vue, et accompagnée de ses deux grands chiens noirs, ses amis et ses gardiens. Le curé était déjà là. Elle nous fit ses exécuteurs testamentaires, et, pour nous dévoiler le sens de ses volontés dernières, elle nous raconta toute sa vie. Je ne sais rien de plus singulier et de plus poignant.

Son père était rempailleur et sa mère rempailleuse. Elle n'a jamais eu de logis planté en terre.

Toute petite, elle errait, haillonneuse, vermineuse, sordide. On s'arrêtait à l'entrée des villages, le long des fossés ; on dételait la voiture ; le cheval broutait ; le chien dormait, le museau sur ses pattes ; et la petite se roulait dans l'herbe pendant que le père et la mère rafistolaient, à l'ombre des ormes du chemin, tous les vieux sièges de la commune. On ne parlait guère, dans cette demeure ambulante. Après les quelques mots nécessaires pour décider qui ferait le tour des maisons en poussant le cri bien connu : « Remmmpailleur de chaises ! » on se mettait à tortiller la paille, face à face ou côte à côte. Quand l'enfant allait trop loin ou tentait d'entrer en relation avec quelque galopin du village, la voix colère du père la rappelait : « Veux-tu bien revenir ici, crapule ! » C'étaient les seuls mots de tendresse qu'elle entendait.

Quand elle devint plus grande, on l'envoya faire la récolte des fonds de sièges avariés. Alors elle ébaucha quelques connaissances de place en place avec les gamins ; mais c'étaient alors les parents de ses nouveaux amis qui rappelaient brutalement leurs enfants :

« Veux-tu bien venir ici, polisson ! Que je te voie causer avec les va-nu-pieds !... »

Souvent les petits gars lui jetaient des pierres.

Des dames lui ayant donné quelques sous, elle les garda soigneusement.

Un jour — elle avait alors onze ans — comme elle passait par ce pays, elle rencontra derrière le cimetière le petit Chouquet qui pleurait parce qu'un camarade lui avait volé deux liards [1]. Ces larmes d'un petit bourgeois, d'un de ces petits qu'elle s'imaginait, dans sa frêle caboche de déshéritée, être toujours contents et joyeux, la bouleversèrent. Elle s'approcha, et, quand elle connut la raison de sa peine, elle versa entre ses mains toutes ses économies, sept sous, qu'il prit naturellement, en essuyant ses larmes. Alors, folle de joie, elle eut l'audace de l'embrasser. Comme il considérait attentivement sa monnaie, il se laissa faire. Ne se voyant ni repoussée, ni battue, elle recommença ; elle l'embrassa à pleins bras, à plein cœur. Puis elle se sauva.

Que se passa-t-il dans cette misérable tête ? S'est-elle attachée à ce mioche parce qu'elle lui avait sacrifié sa fortune de vagabonde, ou parce qu'elle lui avait donné son premier baiser tendre ? Le mystère est le même pour les petits que pour les grands.

Pendant des mois, elle rêva de ce coin de cimetière et de ce gamin. Dans l'espérance de le revoir elle vola ses parents, grappillant un sou par-ci, un sou par-là, sur un rempaillage, ou sur les provisions qu'elle allait acheter.

Quand elle revint, elle avait deux francs dans sa poche, mais elle ne put qu'apercevoir le petit pharmacien, bien propre, derrière les carreaux de la boutique paternelle, entre un bocal rouge et un ténia.

1. Pièce qui avait disparu au temps de Maupassant, et qui valait un quart de sou.

Elle ne l'en aima que davantage, séduite, émue, extasiée par cette gloire de l'eau colorée, cette apothéose des cristaux luisants.

Elle garda en elle son souvenir ineffaçable, et, quand elle le rencontra, l'an suivant, derrière l'école, jouant aux billes avec ses camarades, elle se jeta sur lui, le saisit dans ses bras, et le baisa avec tant de violence qu'il se mit à hurler de peur. Alors, pour l'apaiser, elle lui donna son argent : trois francs vingt, un vrai trésor, qu'il regardait avec des yeux agrandis.

Il le prit et se laissa caresser tant qu'elle voulut.

Pendant quatre ans encore, elle versa entre ses mains toutes ses réserves, qu'il empochait avec conscience en échange de baisers consentis. Ce fut une fois trente sous, une fois deux francs, une fois douze sous (elle en pleura de peine et d'humiliation, mais l'année avait été mauvaise) et la dernière fois, cinq francs, une grosse pièce ronde, qui le fit rire d'un rire content.

Elle ne pensait plus qu'à lui ; et il attendait son retour avec une certaine impatience, courait au-devant d'elle en la voyant, ce qui faisait bondir le cœur de la fillette.

Puis il disparut. On l'avait mis au collège. Elle le sut en interrogeant habilement. Alors elle usa d'une diplomatie infinie pour changer l'itinéraire de ses parents et les faire passer par ici au moment des vacances. Elle y réussit, mais après un an de ruses. Elle était donc restée deux ans sans le revoir ; et elle le reconnut à peine, tant il était changé, grandi, embelli, imposant dans sa tunique à boutons d'or. Il feignit de ne pas la voir et passa fièrement près d'elle.

Elle en pleura pendant deux jours ; et depuis lors elle souffrit sans fin.

Tous les ans elle revenait ; passait devant lui sans oser le saluer et sans qu'il daignât même tourner les yeux vers elle. Elle l'aimait éperdument. Elle me dit : « C'est le seul homme que j'aie vu sur la terre, monsieur le médecin ; je ne sais pas si les autres existaient seulement. »

Ses parents moururent. Elle continua leur métier,

mais elle prit deux chiens au lieu d'un, deux terribles chiens qu'on n'aurait pas osé braver.

Un jour, en rentrant dans ce village où son cœur était resté, elle aperçut une jeune femme qui sortait de la boutique Chouquet au bras de son bien-aimé. C'était sa femme. Il était marié.

Le soir même, elle se jeta dans la mare qui est sur la place de la Mairie. Un ivrogne attardé la repêcha, et la porta à la pharmacie. Le fils Chouquet descendit en robe de chambre, pour la soigner, et, sans paraître la reconnaître, la déshabilla, la frictionna, puis il lui dit d'une voix dure : « Mais vous êtes folle ! Il ne faut pas être bête comme ça ! »

Cela suffit pour la guérir. Il lui avait parlé ! Elle était heureuse pour longtemps.

Il ne voulut rien recevoir en rémunération de ses soins, bien qu'elle insistât vivement pour le payer.

Et toute sa vie s'écoula ainsi. Elle rempaillait en songeant à Chouquet. Tous les ans, elle l'apercevait derrière ses vitraux. Elle prit l'habitude d'acheter chez lui des provisions de menus médicaments. De la sorte elle le voyait de près, et lui parlait, et lui donnait encore de l'argent.

Comme je vous l'ai dit en commençant, elle est morte ce printemps. Après m'avoir raconté toute cette triste histoire, elle me pria de remettre à celui qu'elle avait si patiemment aimé toutes les économies de son existence, car elle n'avait travaillé que pour lui, disait-elle, jeûnant même pour mettre de côté, et être sûre qu'il penserait à elle, au moins une fois, quand elle serait morte.

Elle me donna donc deux mille trois cent vingt-sept francs. Je laissai à M. le curé les vingt-sept francs pour l'enterrement, et j'emportai le reste quand elle eut rendu le dernier soupir.

Le lendemain, je me rendis chez les Chouquet. Ils achevaient de déjeuner, en face l'un de l'autre, gros et rouges, fleurant les produits pharmaceutiques, importants et satisfaits.

On me fit asseoir ; on m'offrit un kirsch, que j'acceptai ; et je commençai mon discours d'une voix émue, persuadé qu'ils allaient pleurer.

Dès qu'il eut compris qu'il avait été aimé de cette vagabonde, de cette rempailleuse, de cette rouleuse, Chouquet bondit d'indignation, comme si elle lui avait volé sa réputation, l'estime des honnêtes gens, son honneur intime, quelque chose de délicat qui lui était plus cher que la vie.

Sa femme, aussi exaspérée que lui, répétait : « Cette gueuse ! cette gueuse ! cette gueuse !... » Sans pouvoir trouver autre chose.

Il s'était levé ; il marchait à grands pas derrière la table, le bonnet grec chaviré sur une oreille. Il balbutiait : « Comprend-on ça, docteur ? Voilà de ces choses horribles pour un homme ! Que faire ? Oh ! si je l'avais su de son vivant, je l'aurais fait arrêter par la gendarmerie et flanquer en prison. Et elle n'en serait pas sortie, je vous en réponds ! »

Je demeurais stupéfait du résultat de ma démarche pieuse. Je ne savais que dire ni que faire. Mais j'avais à compléter ma mission. Je repris : « Elle m'a chargé de vous remettre ses économies, qui montent à deux mille trois cents francs. Comme ce que je viens de vous apprendre semble vous être fort désagréable, le mieux serait peut-être de donner cet argent aux pauvres. »

Ils me regardaient, l'homme et la femme, perclus de saisissement.

Je tirai l'argent de ma poche, du misérable argent de tous les pays et de toutes les marques, de l'or et des sous mêlés. Puis je demandai : « Que décidez-vous ? »

Mme Chouquet parla la première : « Mais, puisque c'était sa dernière volonté, à cette femme... il me semble qu'il nous est bien difficile de refuser. »

Le mari, vaguement confus, reprit : « Nous pourrions toujours acheter avec ça quelque chose pour nos enfants. »

Je dis d'un air sec : « Comme vous voudrez. »

Il reprit : « Donnez toujours, puisqu'elle vous en a

chargé ; nous trouverons bien moyen de l'employer à quelque bonne œuvre. »

Je remis l'argent, je saluai et je partis.

Le lendemain Chouquet vint me trouver et, brusquement : « Mais elle a laissé ici sa voiture, cette... cette femme. Qu'est-ce que vous en faites, de cette voiture ?

— Rien, prenez-la si vous voulez.

— Parfait ; cela me va ; j'en ferai une cabane pour mon potager. »

Il s'en allait. Je le rappelai. « Elle a laissé aussi son vieux cheval et ses deux chiens. Les voulez-vous ? » Il s'arrêta, surpris : « Ah ! non, par exemple ; que voulez-vous que j'en fasse ? Disposez-en comme vous voudrez. » Et il riait. Puis il me tendit sa main que je serrai. Que voulez-vous ? Il ne faut pas, dans un pays, que le médecin et le pharmacien soient ennemis.

J'ai gardé les chiens chez moi. Le curé, qui a une grande cour, a pris le cheval. La voiture sert de cabane à Chouquet ; et il a acheté cinq obligations de chemin de fer avec l'argent.

Voilà le seul amour profond que j'aie rencontré, dans ma vie.

Le médecin se tut.

Alors la marquise, qui avait des larmes dans les yeux, soupira : « Décidément, il n'y a que les femmes pour savoir aimer ! »

EN MER [1]

À Henry Céard [2].

On lisait dernièrement dans les journaux les lignes suivantes :

« Boulogne-sur-Mer, 22 janvier. — On nous écrit :

« Un affreux malheur vient de jeter la consternation parmi notre population maritime déjà si éprouvée depuis deux années. Le bateau de pêche commandé par le patron Javel, entrant dans le port, a été jeté à l'ouest et est venu se briser sur les roches du brise-lames de la jetée.

« Malgré les efforts du bateau de sauvetage et des lignes envoyées au moyen du fusil porte-amarre, quatre hommes et le mousse ont péri.

« Le mauvais temps continue. On craint de nouveaux sinistres. »

Quel est ce patron Javel ? Est-il le frère du manchot ?

Si le pauvre homme roulé par la vague, et mort peut-être sous les débris de son bateau mis en pièces, est celui auquel je pense, il avait assisté, voici dix-huit ans main-

1. Paru le 12 février 1883, dans *Gil Blas* (Maufrigneuse).
2. Henry Céard (1851-1924) est l'un des collaborateurs des *Soirées de Médan*. Il est l'auteur d'un roman naturaliste, *Une belle journée*.

tenant, à un autre drame, terrible et simple comme sont toujours ces drames formidables des flots.

Javel aîné était alors patron d'un chalutier.

Le chalutier est le bateau de pêche par excellence. Solide à ne craindre aucun temps, le ventre rond, roulé sans cesse par les lames comme un bouchon, toujours dehors, toujours fouetté par les vents durs et salés de la Manche, il travaille la mer, infatigable, la voile gonflée, traînant par le flanc un grand filet qui racle le fond de l'Océan, et détache et cueille toutes les bêtes endormies dans les roches, les poissons plats collés au sable, les crabes lourds aux pattes crochues, les homards aux moustaches pointues.

Quand la brise est fraîche et la vague courte, le bateau se met à pêcher. Son filet est fixé tout le long d'une grande tige de bois garnie de fer qu'il laisse descendre au moyen de deux câbles glissant sur deux rouleaux aux deux bouts de l'embarcation. Et le bateau, dérivant sous le vent et le courant, tire avec lui cet appareil qui ravage et dévaste le sol de la mer.

Javel avait à son bord son frère cadet, quatre hommes et un mousse. Il était sorti de Boulogne par un beau temps clair pour jeter le chalut.

Or, bientôt le vent s'éleva, et une bourrasque survenant força le chalutier à fuir. Il gagna les côtes d'Angleterre ; mais la mer démontée battait les falaises, se ruait contre la terre, rendait impossible l'entrée des ports. Le petit bateau reprit le large et revint sur les côtes de France. La tempête continuait à faire infranchissables les jetées, enveloppant d'écume, de bruit et de danger tous les abords des refuges.

Le chalutier repartit encore, courant sur le dos des flots, ballotté, secoué, ruisselant, souffleté par des paquets d'eau, mais gaillard, malgré tout, accoutumé à ces gros temps qui le tenaient parfois cinq ou six jours errant entre les deux pays voisins sans pouvoir aborder l'un ou l'autre.

Puis enfin l'ouragan se calma comme il se trouvait en pleine mer, et, bien que la vague fût encore forte, le patron commanda de jeter le chalut.

Donc le grand engin de pêche fut passé par-dessus bord, et deux hommes à l'avant, deux hommes à l'arrière, commencèrent à filer sur les rouleaux les amarres qui le tenaient. Soudain il toucha le fond ; mais une haute lame inclinant le bateau, Javel cadet, qui se trouvait à l'avant et dirigeait la descente du filet, chancela, et son bras se trouva saisi entre la corde un instant détendue par la secousse et le bois où elle glissait. Il fit un effort désespéré, tâchant de l'autre main de soulever l'amarre, mais le chalut traînait déjà et le câble roidi ne céda point.

L'homme crispé par la douleur appela. Tous accoururent. Son frère quitta la barre. Ils se jetèrent sur la corde, s'efforçant de dégager le membre qu'elle broyait. Ce fut en vain. « Faut couper », dit un matelot, et il tira de sa poche un large couteau, qui pouvait, en deux coups, sauver le bras de Javel cadet.

Mais couper, c'était perdre le chalut, et ce chalut valait de l'argent, beaucoup d'argent, quinze cents francs ; et il appartenait à Javel aîné, qui tenait à son avoir.

Il cria, le cœur torturé : « Non, coupe pas, attends, je vas lofer. » Et il courut au gouvernail mettant toute la barre dessous.

Le bateau n'obéit qu'à peine, paralysé par ce filet qui immobilisait son impulsion, et entraîné d'ailleurs par la force de la dérive et du vent.

Javel cadet s'était laissé tomber sur les genoux, les dents serrées, les yeux hagards. Il ne disait rien. Son frère revint, craignant toujours le couteau d'un marin : « Attends, attends, coupe pas, faut mouiller l'ancre. »

L'ancre fut mouillée, toute la chaîne filée, puis on se mit à virer au cabestan pour détendre les amarres du chalut. Elles s'amollirent, enfin, et on dégagea le bras inerte, sous la manche de laine ensanglantée.

Javel cadet semblait idiot. On lui retira la vareuse et on vit une chose horrible, une bouillie de chairs dont le sang jaillissait à flots qu'on eût dit poussés par une pompe. Alors l'homme regarda son bras et murmura : « Foutu ».

Puis, comme l'hémorragie faisait une mare sur le pont du bateau, un des matelots cria : « Il va se vider, faut nouer la veine. »

Alors ils prirent une ficelle, une grosse ficelle brune et goudronnée, et, enlaçant le membre au-dessus de la blessure, ils serrèrent de toute leur force. Les jets de sang s'arrêtaient peu à peu, et finirent par cesser tout à fait.

Javel cadet se leva, son bras pendait à son côté. Il le prit de l'autre main, le souleva, le tourna, le secoua. Tout était rompu, les os cassés ; les muscles seuls retenaient ce morceau de son corps. Il le considérait d'un œil morne, réfléchissant. Puis il s'assit sur une voile pliée, et les camarades lui conseillèrent de mouiller sans cesse la blessure pour empêcher le mal noir[1].

On mit un seau auprès de lui, et de minute en minute, il puisait dedans au moyen d'un verre, et baignait l'horrible plaie en laissant couler dessus un petit filet d'eau claire.

« Tu serais mieux en bas », lui dit son frère. Il descendit, mais au bout d'une heure il remonta, ne se sentant pas bien tout seul. Et puis, il préférait le grand air. Il se rassit sur sa voile et recommença à bassiner son bras.

La pêche était bonne. Les larges poissons à ventre blanc gisaient à côté de lui, secoués par des spasmes de mort ; il les regardait sans cesser d'arroser ses chairs écrasées.

1. Autre appellation : le Noir ; c'est la gangrène.

Comme on allait regagner Boulogne, un nouveau coup de vent se déchaîna ; et le petit bateau recommença sa course folle, bondissant et culbutant, secouant le triste blessé.

La nuit vint. Le temps fut gros jusqu'à l'aurore. Au soleil levant on apercevait de nouveau l'Angleterre, mais, comme la mer était moins dure, on repartit pour la France en louvoyant.

Vers le soir, Javel cadet appela ses camarades et leur montra des traces noires, toute une vilaine apparence de pourriture sur la partie du membre qui ne tenait plus à lui.

Les matelots regardaient, disant leur avis.

« Ça pourrait bien être le Noir », pensait l'un.

« Faudrait de l'iau salée là-dessus », déclarait un autre.

On apporta donc de l'eau salée et on en versa sur le mal. Le blessé devint livide, grinça des dents, se tordit un peu ; mais il ne cria pas.

Puis, quand la brûlure se fut calmée : « Donne-moi ton couteau », dit-il à son frère. Le frère tendit son couteau.

« Tiens-moi le bras en l'air, tout drait, tire dessus. »

On fit ce qu'il demandait.

Alors il se mit à couper lui-même. Il coupait doucement, avec réflexion, tranchant les derniers tendons avec cette lame aiguë, comme un fil de rasoir ; et bientôt il n'eut plus qu'un moignon. Il poussa un profond soupir et déclara : « Fallait ça. J'étais foutu. »

Il semblait soulagé et respirait avec force. Il recommença à verser de l'eau sur le tronçon de membre qui lui restait.

La nuit fut mauvaise encore et on ne put atterrir.

Quand le jour parut, Javel cadet prit son bras détaché et l'examina longuement. La putréfaction se déclarait. Les camarades vinrent aussi l'examiner, et ils se le passaient de main en main, le tâtaient, le retournaient, le flairaient.

Son frère dit : « Faut jeter ça à la mer à c't' heure. »

Mais Javel cadet se fâcha : « Ah ! mais non, ah ! mais non. J' veux point. C'est à moi, pas vrai, pisque c'est mon bras. »

Il le reprit et le posa entre ses jambes.

« Il va pas moins pourrir », dit l'aîné. Alors une idée vint au blessé. Pour conserver le poisson quand on tenait longtemps la mer, on l'empilait en des barils de sel.

Il demanda : « J' pourrions t'y point l' mettre dans la saumure. »

« Ça, c'est vrai », déclarèrent les autres.

Alors on vida un des barils, plein déjà de la pêche des jours derniers ; et, tout au fond, on déposa le bras. On versa du sel dessus, puis on replaça, un à un, les poissons.

Un des matelots fit cette plaisanterie : « Pourvu que je l' vendions point à la criée. »

Et tout le monde rit, hormis les deux Javel.

Le vent soufflait toujours. On louvoya encore en vue de Boulogne jusqu'au lendemain dix heures. Le blessé continuait sans cesse à jeter de l'eau sur sa plaie.

De temps en temps il se levait et marchait d'un bout à l'autre du bateau.

Son frère, qui tenait la barre, le suivait de l'œil en hochant la tête.

On finit par rentrer au port.

Le médecin examina la blessure et la déclara en bonne voie. Il fit un pansement complet et ordonna le repos. Mais Javel ne voulut pas se coucher sans avoir repris son bras, et il retourna bien vite au port pour retrouver le baril qu'il avait marqué d'une croix.

On le vida devant lui et il ressaisit son membre, bien conservé dans la saumure, ridé, rafraîchi. Il l'enveloppa dans une serviette emportée à cette intention, et rentra chez lui.

Sa femme et ses enfants examinèrent longuement ce débris du père, tâtant les doigts, enlevant les brins de sel restés sous les ongles ; puis on fit venir le menuisier qui prit mesure pour un petit cercueil.

Le lendemain l'équipage complet du chalutier suivit l'enterrement du bras détaché. Les deux frères, côte à côte, conduisaient le deuil. Le sacristain de la paroisse tenait le cadavre sous son aisselle.

Javel cadet cessa de naviguer. Il obtint un petit emploi dans le port, et, quand il parlait plus tard de son accident, il confiait tout bas à son auditeur : « Si le frère avait voulu couper le chalut, j'aurais encore mon bras, pour sûr. Mais il était regardant à son bien. »

5

UN NORMAND[1]

À Paul Alexis[2].

Nous venions de sortir de Rouen et nous suivions au grand trot la route de Jumièges. La légère voiture filait, traversant les prairies ; puis le cheval se mit au pas pour monter la côte de Canteleu[3].

C'est là un des horizons les plus magnifiques qui soient au monde. Derrière nous Rouen, la ville aux églises, aux clochers gothiques, travaillés comme des bibelots d'ivoire ; en face, Saint-Sever[3], le faubourg aux manufactures, qui dresse ses mille cheminées fumantes sur le grand ciel vis-à-vis des mille clochetons sacrés de la vieille cité.

Ici la flèche de la cathédrale, le plus haut sommet des monuments humains ; et là-bas, la « Pompe à feu » de la « Foudre », sa rivale presque aussi démesurée,

1. Première parution dans *Gil Blas* du 10 octobre 1882 (Maufrigneuse).

2. Disciple et biographe de Zola, Paul Alexis (1847-1901) participa aux *Soirées de Médan* et écrivit des pièces de théâtre.

3. Canteleu est situé sur les hauteurs de Rouen, et Saint-Sever sur la rive gauche de la Seine. Duclair (p. 99) se situe à vingt kilomètres de Rouen au bord du fleuve. C'est là un paysage cher à Maupassant (cf. *Bel-Ami* et *Le Horla*).

et qui passe d'un mètre la plus géante des pyramides d'Égypte.

Devant nous la Seine se déroulait, ondulante, semée d'îles, bordée à droite de blanches falaises que couronnait une forêt, à gauche de prairies immenses qu'une autre forêt limitait, là-bas, tout là-bas.

De place en place, des grands navires à l'ancre le long des berges du large fleuve. Trois énormes vapeurs s'en allaient, à la queue leu leu, vers Le Havre ; et un chapelet de bâtiments, formé d'un trois-mâts, de deux goélettes et d'un brick, remontait vers Rouen, traîné par un petit remorqueur vomissant un nuage de fumée noire.

Mon compagnon, né dans le pays, ne regardait même point ce surprenant paysage ; mais il souriait sans cesse ; il semblait rire en lui-même. Tout à coup, il éclata : « Ah ! vous allez voir quelque chose de drôle ; la chapelle au père Mathieu. Ça, c'est du nanan, mon bon. »

Je le regardai d'un œil étonné. Il reprit :

« Je vais vous faire sentir un fumet de Normandie qui vous restera dans le nez. Le père Mathieu est le plus beau Normand de la province, et sa chapelle une des merveilles du monde, ni plus ni moins ; mais je vais vous donner d'abord quelques mots d'explication. »

Le père Mathieu, qu'on appelle aussi le père « La Boisson », est un ancien sergent-major revenu dans son village natal. Il unit en des proportions admirables pour faire un ensemble parfait la blague du vieux soldat à la malice finaude du Normand. De retour au pays, il est devenu, grâce à des protections multiples et à des habiletés invraisemblables, gardien d'une chapelle miraculeuse, une chapelle protégée par la Vierge et fréquentée principalement par les filles enceintes. Il a baptisé sa statue merveilleuse : « Notre-Dame du Gros-Ventre », et il la traite avec une certaine familiarité goguenarde qui n'exclut point le respect. Il a composé lui-même et fait imprimer une prière spéciale pour sa BONNE VIERGE. Cette prière est un chef-d'œuvre d'ironie involontaire, d'esprit normand où la raillerie se mêle à la peur du SAINT, à la peur superstitieuse de l'influence secrète de quelque chose. Il ne croit pas beaucoup à sa patronne ; cependant il y croit un peu, par prudence, et il la ménage, par politique.

Voici le début de cette étonnante oraison :

« Notre bonne madame la Vierge Marie, patronne naturelle des filles mères en ce pays et par toute la terre, protégez votre servante qui a fauté dans un moment d'oubli. »

. . . .

Cette supplique se termine ainsi :

« Ne m'oubliez pas surtout auprès de votre saint Époux et intercédez auprès de Dieu le Père, pour qu'il m'accorde un bon mari semblable au vôtre. »

Cette prière, interdite par le clergé de la contrée, est vendue par lui sous le manteau, et passe pour salutaire à celles qui la récitent avec onction.

En somme, il parle de la bonne Vierge, comme faisait de son maître le valet de chambre d'un prince redouté, confident de tous les petits secrets intimes. Il sait sur son compte une foule d'histoires amusantes, qu'il dit tout bas, entre amis, après boire.

Mais vous verrez par vous-même.

Comme les revenus fournis par la Patronne ne lui semblaient point suffisants, il a annexé à la Vierge principale un petit commerce de Saints. Il les tient tous ou presque tous. La place manquant dans la chapelle, il les a emmagasinés au bûcher, d'où il les sort sitôt qu'un fidèle les demande. Il a façonné lui-même ces statuettes de bois, invraisemblablement comiques, et les a peintes toutes en vert à pleine couleur, une année qu'on badigeonnait sa maison. Vous savez que les Saints guérissent les maladies ; mais chacun a sa spécialité ; et il ne faut pas commettre de confusion ni d'erreurs. Ils sont jaloux les uns des autres comme des cabotins.

Pour ne pas se tromper, les vieilles bonnes femmes viennent consulter Mathieu.

« Pour les maux d'oreilles, qué saint qu'est l'meilleur ?

— Mais y a saint Osyme qu'est bon ; y a aussi saint Pamphile qu'est pas mauvais. »

Ce n'est pas tout.

Comme Mathieu a du temps de reste, il boit ; mais il boit en artiste, en convaincu, si bien qu'il est gris régulièrement tous les soirs. Il est gris, mais il le sait ; il le sait si bien qu'il note, chaque jour, le degré exact de son ivresse. C'est là sa principale occupation ; la chapelle ne vient qu'après.

Et il a inventé, écoutez bien et cramponnez-vous, il a inventé le saoulomètre.

L'instrument n'existe pas, mais les observations de Mathieu sont aussi précises que celles d'un mathématicien.

Vous l'entendez dire sans cesse : « D'puis lundi, j'ai passé quarante-cinq. »

Ou bien : « J'étais entre cinquante-deux et cinquante-huit. »

Ou bien : « J'en avais bien soixante-six à soixante-dix. »

Ou bien : « Cré coquin, je m'croyais dans les cinquante, v'là que j'm'aperçois qu'j'étais dans les soixante-quinze ! »

Jamais il ne se trompe.

Il affirme n'avoir pas atteint le mètre, mais comme il avoue que ses observations cessent d'être précises quand il a passé quatre-vingt-dix, on ne peut se fier absolument à son affirmation.

Quand Mathieu reconnaît avoir passé quatre-vingt-dix, soyez tranquille, il était crânement gris.

Dans ces occasions-là, sa femme, Mélie, une autre merveille, se met en des colères folles. Elle l'attend sur sa porte, quand il rentre, et elle hurle : « Te voilà, salaud, cochon, bougre d'ivrogne ! »

Alors Mathieu, qui ne rit plus, se campe en face d'elle, et, d'un ton sévère : « Tais-toi, Mélie, c'est pas le moment de causer. Attends à d'main. »

Si elle continue à vociférer, il s'approche et, la voix tremblante : « Gueule plus ; j'suis dans les quatre-vingt-dix ; je n'mesure plus ; j'vas cogner, prends garde ! »

Alors, Mélie bat en retraite.

Si elle veut, le lendemain, revenir sur ce sujet, il lui rit au nez et répond : « Allons, allons ! assez causé ; c'est passé. Tant qu'j'aurai pas atteint le mètre, y a pas de mal. Mais, si j'passe le mètre, j'te permets de m'corriger, ma parole ! »

Nous avions gagné le sommet de la côte. La route s'enfonçait dans l'admirable forêt de Roumare.

L'automne, l'automne merveilleux, mêlait son or et sa pourpre aux dernières verdures restées vives, comme si des gouttes de soleil fondu avaient coulé du ciel dans l'épaisseur des bois.

On traversa Duclair[1], puis, au lieu de continuer sur Jumièges, mon ami tourna vers la gauche, et, prenant un chemin de traverse, s'enfonça dans le taillis.

Et bientôt, du sommet d'une grande côte, nous découvrions de nouveau la magnifique vallée de la Seine et le fleuve tortueux s'allongeant à nos pieds.

Sur la droite, un tout petit bâtiment couvert d'ardoises et surmonté d'un clocher haut comme une ombrelle s'adossait contre une jolie maison aux persiennes vertes, toute vêtue de chèvrefeuilles et de rosiers.

Une grosse voix cria : « V'là des amis ! » Et Mathieu parut sur le seuil. C'était un homme de soixante ans, maigre, portant la barbiche et de longues moustaches blanches.

1. Voir page 95.

Mon compagnon lui serra la main, me présenta, et Mathieu nous fit entrer dans une fraîche cuisine qui lui servait aussi de salle. Il disait :

« Moi, monsieur, j'n'ai pas d'appartement distingué. J'aime bien à n'point m'éloigner du fricot. Les casseroles, voyez-vous, ça tient compagnie. »

Puis, se tournant vers mon ami :

« Pourquoi venez-vous un jeudi ? Vous savez bien que c'est jour de consultation d'ma Patronne. J'peux pas sortir c't'après-midi. »

Et, courant à la porte, il poussa un effroyable beuglement : « Méli-e-e ! » qui dut faire lever la tête aux matelots des navires qui descendaient ou remontaient le fleuve, là-bas, tout au fond de la creuse vallée.

Mélie ne répondit point.

Alors Mathieu cligna de l'œil avec malice.

« A n'est pas contente après moi, voyez-vous, parce qu'hier je m'suis trouvé dans les quatre-vingt-dix. »

Mon voisin se mit à rire : « Dans les quatre-vingt-dix, Mathieu ! Comment avez-vous fait ? »

Mathieu répondit :

« J'vas vous dire. J'n'ai trouvé, l'an dernier, qu'vingt rasières [1] d'pommes d'abricot [2]. Y n'y en a pu ; mais pour faire du cidre y n'y a qu'ça. Donc j'en fis une pièce [3] qu'je mis hier en perce. Pour du nectar, c'est du nectar ; vous m'en direz des nouvelles. J'avais ici Polyte ; j'nous mettons à boire un coup, et puis encore un coup, sans s'rassasier (on en boirait jusqu'à d'main), si bien que, d'coup en coup, je m'sens une fraîcheur dans l'estomac. J'dis à Polyte : "Si on buvait un verre de fine pour se réchauffer !" Y consent. Mais c'te fine, ça vous met l'feu dans le corps, si bien qu'il a fallu r'venir au cidre. Mais v'là que d'fraîcheur en chaleur

1. Mesure de soixante-dix litres environ.

2. Les pommes d'abricot sont mûres vers novembre ; elles sont particulièrement recherchées pour le cidre.

3. Un tonneau d'environ mille litres de cidre.

et d'chaleur en fraîcheur, j'm'aperçois que j'suis dans les quatre-vingt-dix. Polyte était pas loin du mètre. »

La porte s'ouvrit. Mélie parut, et tout de suite avant de nous avoir dit bonjour : « ... Crés cochons, vous aviez bien l'mètre tous les deux. »

Alors Mathieu se fâcha : « Dis pas ça, Mélie, dis pas ça ; j'ai jamais été au mètre. »

On nous fit un déjeuner exquis, devant la porte, sous deux tilleuls, à côté de la petite chapelle de « Notre-Dame du Gros-Ventre » et en face de l'immense paysage. Et Mathieu nous raconta, avec raillerie mêlée de crédulités inattendues, d'invraisemblables histoires de miracles.

Nous avions bu beaucoup de ce cidre adorable, piquant et sucré, frais et grisant, qu'il préférait à tous les liquides ; et nous fumions nos pipes, à cheval sur nos chaises, quand deux bonnes femmes se présentèrent.

Elles étaient vieilles, sèches, courbées. Après avoir salué, elles demandèrent saint Blanc. Mathieu cligna de l'œil vers nous et répondit :

« J'vas vous donner ça. »

Et il disparut dans son bûcher.

Il y resta bien cinq minutes ; puis il revint avec une figure consternée. Il levait les bras :

« J'sais pas oùsqu'il est, je l'trouve pu ; j'suis pourtant sûr que je l'avais. »

Alors, faisant de ses mains un porte-voix, il mugit de nouveau : « Méli-e-e ! » Du fond de la cour sa femme répondit :

« Qué qu'y a ?

— Oùsqu'il est saint Blanc ! Je l'trouve pu dans le bûcher. »

Alors, Mélie jeta cette explication :

« C'est-y pas celui qu't'as pris l'aut'e semaine pour boucher l'trou d'la cabine à lapins ? »

Mathieu tressaillit : « Nom d'un tonnerre, ça s'peut bien ! »

Alors il dit aux femmes : « Suivez-moi. »

Elles suivirent. Nous en fîmes autant, malades de rires étouffés.

En effet, saint Blanc, piqué en terre comme un simple pieu maculé de boue et d'ordures, servait d'angle à la cabine à lapins.

Dès qu'elles l'aperçurent, les deux bonnes femmes tombèrent à genoux, se signèrent et se mirent à murmurer des *Oremus*. Mais Mathieu se précipita : « Attendez, vous v'là dans la crotte ; j'vas vous donner une botte de paille. »

Il alla chercher la paille et leur en fit un prie-Dieu. Puis, considérant son saint fangeux, et, craignant sans doute un discrédit pour son commerce, il ajouta :

« J'vas vous l'débrouiller un brin. »

Il prit un seau d'eau, une brosse et se mit à laver vigoureusement le bonhomme de bois, pendant que les deux vieilles priaient toujours.

Puis, quand il eut fini, il ajouta : « Maintenant il n'y a plus d'mal. » Et il nous ramena boire un coup.

Comme il portait le verre à sa bouche, il s'arrêta, et, d'un air un peu confus : « C'est égal, quand j'ai mis saint Blanc aux lapins, j'croyais bien qu'i n'f'rait pu d'argent. Y avait deux ans qu'on n'le d'mandait plus. Mais les Saints, voyez-vous, ça n'passe jamais. »

Il but et reprit :

« Allons, buvons encore un coup. Avec des amis i n'faut pas y aller à moins d'cinquante ; et j'n'en sommes seulement pas à trente-huit. »

LE TESTAMENT[1]

À Paul Hervieu[2].

Je connaissais ce grand garçon qui s'appelait René de Bourneval. Il était de commerce aimable, bien qu'un peu triste, semblait revenu de tout, fort sceptique, d'un scepticisme précis et mordant, habile surtout à désarticuler d'un mot les hypocrisies mondaines. Il répétait souvent : « Il n'y a pas d'hommes honnêtes ; ou du moins ils ne le sont que relativement aux crapules. »

Il avait deux frères qu'il ne voyait point, MM. de Courcils. Je le croyais d'un autre lit, vu leurs noms différents. On m'avait dit à plusieurs reprises qu'une histoire étrange s'était passée en cette famille, mais sans donner aucun détail.

Cet homme me plaisant tout à fait, nous fûmes bientôt liés. Un soir, comme j'avais dîné chez lui en tête à tête, je lui demandai par hasard : « Êtes-vous né du premier ou du second mariage de madame votre mère ? » Je le vis pâlir un peu, puis rougir ; et il demeura quelques secondes sans parler, visiblement

1. Paru dans *Gil Blas* (7 novembre 1882), sous la signature de « Maufrigneuse ».
2. Jeune auteur encore en 1882, Paul Hervieu (1857-1915) connut plus tard un vif succès, tant littéraire que mondain.

embarrassé. Puis il sourit d'une façon mélancolique et douce qui lui était particulière, et il dit : « Mon cher ami, si cela ne vous ennuie point, je vais vous donner sur mon origine des détails bien singuliers. Je vous sais un homme intelligent, je ne crains donc pas que votre amitié en souffre, et si elle en devait souffrir, je ne tiendrais plus alors à vous avoir pour ami. »

Ma mère, Mme de Courcils, était une pauvre petite femme timide, que son mari avait épousée pour sa fortune. Toute sa vie fut un martyre. D'âme aimante, craintive, délicate, elle fut rudoyée sans répit par celui qui aurait dû être mon père, un de ces rustres qu'on appelle des gentilshommes campagnards. Au bout d'un mois de mariage, il vivait avec une servante. Il eut en outre pour maîtresses les femmes et les filles de ses fermiers ; ce qui ne l'empêcha point d'avoir deux enfants de sa femme ; on devrait compter trois, en me comprenant. Ma mère ne disait rien ; elle vivait dans cette maison toujours bruyante comme ces petites souris qui glissent sous les meubles. Effacée, disparue, frémissante, elle regardait les gens de ses yeux inquiets et clairs, toujours mobiles, des yeux d'être effaré que la peur ne quitte pas. Elle était jolie pourtant, fort jolie, toute blonde d'un blond gris, d'un blond timide ; comme si ses cheveux avaient été un peu décolorés par ses craintes incessantes.

Parmi les amis de M. de Courcils qui venaient constamment au château, se trouvait un ancien officier de cavalerie, veuf, homme redouté, tendre et violent, capable des résolutions les plus énergiques, M. de Bourneval, dont je porte le nom. C'était un grand gaillard maigre, avec de grosses moustaches noires. Je lui ressemble beaucoup. Cet homme avait lu, et ne pensait nullement comme ceux de sa classe. Son arrière-grand-mère avait été une amie de J.-J. Rousseau, et on eût dit qu'il avait hérité quelque chose de cette liaison d'une ancêtre. Il savait par cœur le *Contrat social*, la *Nou-*

velle Héloïse et tous ces livres philosophants qui ont préparé de loin le futur bouleversement de nos antiques usages, de nos préjugés, de nos lois surannées, de notre morale imbécile.

Il aima ma mère, paraît-il, et en fut aimé. Cette liaison demeura tellement secrète que personne ne la soupçonna. La pauvre femme, délaissée et triste, dut s'attacher à lui d'une façon désespérée, et prendre dans son commerce toutes ses manières de penser, des théories de libre sentiment, des audaces d'amour indépendant ; mais, comme elle était si craintive qu'elle n'osait jamais parler haut, tout cela fut refoulé, condensé, pressé en son cœur qui ne s'ouvrit jamais.

Mes deux frères étaient durs pour elle, comme leur père, ne la caressaient point, et, habitués à ne la voir compter pour rien dans la maison, la traitaient un peu comme une bonne.

Je fus le seul de ses fils qui l'aima vraiment et qu'elle aimât.

Elle mourut. J'avais alors dix-huit ans. Je dois ajouter, pour que vous compreniez ce qui va suivre, que son mari était doté d'un conseil judiciaire, qu'une séparation de biens avait été prononcée au profit de ma mère, qui avait conservé, grâce aux artifices de la loi et au dévouement intelligent d'un notaire, le droit de tester à sa guise.

Nous fûmes donc prévenus qu'un testament existait chez ce notaire, et invités à assister à la lecture.

Je me rappelle cela comme d'hier. Ce fut une scène grandiose, dramatique, burlesque, surprenante, amenée par la révolte posthume de cette morte, par ce cri de liberté, cette revendication du fond de la tombe de cette martyre écrasée par nos mœurs durant sa vie, et qui jetait, de son cercueil clos, un appel désespéré vers l'indépendance.

Celui qui se croyait mon père, un gros homme sanguin éveillant l'idée d'un boucher, et mes frères, deux forts garçons de vingt et de vingt-deux ans, attendaient tranquilles sur leurs sièges. M. de Bourneval, invité à se présenter, entra et se plaça derrière moi. Il était serré dans sa redingote, fort pâle, et il mordillait souvent sa moustache, un peu grise à présent. Il s'attendait sans doute à ce qui allait se passer.

Le notaire ferma la porte à double tour et commença la lecture, après avoir décacheté devant nous l'enveloppe scellée à la cire rouge et dont il ignorait le contenu.

Brusquement mon ami se tut, se leva, puis il alla prendre dans son secrétaire un vieux papier, le déplia, le baisa longuement, et il reprit :

Voici le testament de ma bien-aimée mère :

« Je, soussignée, Anne-Catherine-Geneviève-Mathilde de Croixluce, épouse légitime de Jean-Léopold-Joseph-Gontran de Courcils, saine de corps et d'esprit, exprime ici mes dernières volontés.

« Je demande pardon à Dieu d'abord, et ensuite à mon cher fils René, de l'acte que je vais commettre. Je crois mon enfant assez grand de cœur pour me comprendre et me pardonner. J'ai souffert toute ma vie. J'ai été épousée par calcul, puis méprisée, méconnue, opprimée, trompée sans cesse par mon mari.

« Je lui pardonne, mais je ne lui dois rien.

« Mes fils aînés ne m'ont point aimée, ne m'ont point gâtée, m'ont à peine traitée comme une mère.

« J'ai été pour eux, durant ma vie, ce que je devais être ; je ne leur dois plus rien après ma mort. Les liens du sang n'existent pas sans l'affection constante, sacrée, de chaque jour. Un fils ingrat est moins qu'un étranger ; c'est un coupable, car il n'a pas le droit d'être indifférent pour sa mère.

« J'ai toujours tremblé devant les hommes, devant leurs lois iniques, leurs coutumes inhumaines, leurs préjugés infâmes. Devant Dieu, je ne crains plus. Morte, je rejette de moi la honteuse hypocrisie ; j'ose dire ma pensée, avouer et signer le secret de mon cœur.

« Donc, je laisse en dépôt toute la partie de ma fortune dont la loi me permet de disposer, à mon amant bien-aimé Pierre-Germer-Simon de Bourneval, pour revenir ensuite à notre cher fils René.

(Cette volonté est formulée en outre, d'une façon plus précise, dans un acte notarié.)

« Et, devant le Juge suprême qui m'entend je déclare que j'aurais maudit le ciel et l'existence si je n'avais rencontré l'affection profonde, dévouée, tendre, inébranlable de mon amant, si je n'avais compris dans ses bras que le Créateur a fait les êtres pour s'aimer, se soutenir, se consoler, et pleurer ensemble dans les heures d'amertume.

« Mes deux fils aînés ont pour père M. de Courcils, René seul doit la vie à M. de Bourneval. Je prie le Maître des hommes et de leurs destinées de placer au-dessus des préjugés sociaux le père et le fils, de les faire s'aimer jusqu'à leur mort et m'aimer encore dans mon cercueil.

« Tels sont ma dernière pensée et mon dernier désir.

« MATHILDE DE CROIXLUCE. »

M. de Courcils s'était levé ; il cria : « C'est là le testament d'une folle ! » Alors M. de Bourneval fit un pas et déclara d'une voix forte, d'une voix tranchante : « Moi, Simon de Bourneval, je déclare que cet écrit ne renferme que la stricte vérité. Je suis prêt à le soutenir devant n'importe qui, et à le prouver même par les lettres que j'ai. »

Alors M. de Courcils marcha vers lui. Je crus qu'ils allaient se colleter. Ils étaient là, grands tous deux, l'un gros, l'autre maigre, frémissants. Le mari de ma mère articula en bégayant : « Vous êtes un misérable ! » L'autre prononça du même ton vigoureux et sec : « Nous nous retrouverons autre part, monsieur. Je vous aurais déjà souffleté et provoqué depuis longtemps si je n'avais tenu avant tout à la tranquillité, durant sa vie, de la pauvre femme que vous avez tant fait souffrir. »

Puis il se tourna vers moi : « Vous êtes mon fils. Voulez-vous me suivre ? Je n'ai pas le droit de vous emmener, mais je le prends, si vous voulez bien m'accompagner. »

Je lui serrai la main sans répondre. Et nous sommes sortis ensemble. J'étais, certes, aux trois quarts fou.

Deux jours plus tard M. de Bourneval tuait en duel M. de Courcils. Mes frères, par crainte d'un affreux scandale, se sont tus. Je leur ai cédé et ils ont accepté la moitié de la fortune laissée par ma mère.

J'ai pris le nom de mon père véritable, renonçant à celui que la loi me donnait et qui n'était pas le mien.

M. de Bourneval est mort depuis cinq ans. Je ne suis point encore consolé.

Il se leva, fit quelques pas, et, se plaçant en face de moi : « Eh bien ! je dis que le testament de ma mère est une des choses les plus belles, les plus loyales, les plus grandes qu'une femme puisse accomplir. N'est-ce pas votre avis ? »

Je lui tendis les deux mains : « Oui, certainement, mon ami. »

AUX CHAMPS[1]

À Octave Mirbeau[2].

Les deux chaumières étaient côte à côte, au pied d'une colline, proches d'une petite ville de bains. Les deux paysans besognaient dur sur la terre inféconde pour élever tous leurs petits. Chaque ménage en avait quatre. Devant les deux portes voisines, toute la marmaille grouillait du matin au soir. Les deux aînés avaient six ans et les deux cadets quinze mois environ ; les mariages, et, ensuite, les naissances s'étaient produits à peu près simultanément dans l'une et l'autre maison.

Les deux mères distinguaient à peine leurs produits dans le tas ; et les deux pères confondaient tout à fait. Les huit noms dansaient dans leur tête, se mêlaient sans cesse ; et, quand il fallait en appeler un, les hommes souvent en criaient trois avant d'arriver au véritable.

La première des deux demeures, en venant de la station d'eaux de Rolleport[3], était occupée par les

1. Ce conte parut dans *Le Gaulois* du 31 octobre 1882.
2. À l'époque de la parution du conte, Octave Mirbeau (1848-1917) est journaliste et n'a pas encore écrit *Le Jardin des supplices* et *Le Journal d'une femme de chambre*, qui le rendront célèbre.
3. Nom imaginaire.

Tuvache, qui avaient trois filles et un garçon ; l'autre masure abritait les Vallin, qui avaient une fille et trois garçons.

Tout cela vivait péniblement de soupe, de pommes de terre et de grand air. À sept heures, le matin, puis à midi, puis à six heures, le soir, les ménagères réunissaient leurs mioches pour donner la pâtée, comme des gardeurs d'oies assemblent leurs bêtes. Les enfants étaient assis, par rang d'âge, devant la table en bois, vernie par cinquante ans d'usage. Le dernier moutard avait à peine la bouche au niveau de la planche. On posait devant eux l'assiette creuse pleine de pain molli dans l'eau où avaient cuit les pommes de terre, un demi-chou et trois oignons ; et toute la ligne mangeait jusqu'à plus faim. La mère empâtait elle-même le petit. Un peu de viande au pot-au-feu, le dimanche, était une fête pour tous ; et le père, ce jour-là, s'attardait au repas en répétant : « Je m'y ferais bien tous les jours. »

Par un après-midi du mois d'août, une légère voiture s'arrêta brusquement devant les deux chaumières, et une jeune femme, qui conduisait elle-même, dit au monsieur assis à côté d'elle :

« Oh ! regarde, Henri, ce tas d'enfants ! Sont-ils jolis, comme ça, à grouiller dans la poussière ! »

L'homme ne répondit rien, accoutumé à ces admirations qui étaient une douleur et presque un reproche pour lui.

La jeune femme reprit :

« Il faut que je les embrasse ! Oh ! comme je voudrais en avoir un, celui-là, le tout-petit. »

Et, sautant de la voiture, elle courut aux enfants, prit un des deux derniers, celui des Tuvache, et, l'enlevant dans ses bras, elle le baisa passionnément sur ses joues sales, sur ses cheveux blonds frisés et pommadés de terre, sur ses menottes qu'il agitait pour se débarrasser des caresses ennuyeuses.

Puis elle remonta dans sa voiture et partit au grand trot. Mais elle revint la semaine suivante, s'assit elle-même par terre, prit le moutard dans ses bras, le bourra de gâteaux, donna des bonbons à tous les autres ; et joua avec eux comme une gamine, tandis que son mari attendait patiemment dans sa frêle voiture.

Elle revint encore, fit connaissance avec les parents, reparut tous les jours, les poches pleines de friandises et de sous.

Elle s'appelait Mme Henri d'Hubières.

Un matin, en arrivant, son mari descendit avec elle ; et, sans s'arrêter aux mioches, qui la connaissaient bien maintenant, elle pénétra dans la demeure des paysans.

Ils étaient là, en train de fendre du bois pour la soupe ; ils se redressèrent tout surpris, donnèrent des chaises et attendirent. Alors la jeune femme, d'une voix entrecoupée, tremblante, commença :

« Mes braves gens, je viens vous trouver parce que je voudrais bien... je voudrais bien emmener avec moi votre... votre petit garçon... »

Les campagnards, stupéfaits et sans idée, ne répondirent pas.

Elle reprit haleine et continua.

« Nous n'avons pas d'enfants ; nous sommes seuls, mon mari et moi... Nous le garderions... voulez-vous ? »

La paysanne commençait à comprendre. Elle demanda :

« Vous voulez nous prend'e Charlot ? Ah ben non, pour sûr. »

Alors M. d'Hubières intervint :

« Ma femme s'est mal expliquée. Nous voulons l'adopter, mais il reviendra vous voir. S'il tourne bien, comme tout porte à le croire, il sera notre héritier. Si nous avions, par hasard, des enfants, il partagerait également avec eux. Mais s'il ne répondait pas à nos soins, nous lui donnerions, à sa majorité, une somme de vingt mille francs, qui sera immédiatement déposée en son nom chez un notaire. Et, comme on a aussi pensé à vous, on vous servira jusqu'à votre mort une rente de cent francs par mois. Avez-vous bien compris ? »

La fermière s'était levée, toute furieuse.

« Vous voulez que j'vous vendions Charlot ? Ah ! mais non ; c'est pas des choses qu'on d'mande à une mère, ça ! Ah ! mais non ! Ce s'rait une abomination. »

L'homme ne disait rien, grave et réfléchi ; mais il approuvait sa femme d'un mouvement continu de la tête.

Mme d'Hubières, éperdue, se mit à pleurer, et, se tournant vers son mari, avec une voix pleine de sanglots, une voix d'enfant dont tous les désirs ordinaires sont satisfaits, elle balbutia :

« Ils ne veulent pas, Henri, ils ne veulent pas ! »

Alors, ils firent une dernière tentative.

« Mais, mes amis, songez à l'avenir de votre enfant, à son bonheur, à... »

La paysanne, exaspérée, lui coupa la parole :

« C'est tout vu, c'est tout entendu, c'est tout réfléchi... Allez-vous-en, et pi, que j'vous revoie point par ici. C'est-i permis d'vouloir prendre un éfant comme ça ! »

Alors, Mme d'Hubières, en sortant, s'avisa qu'ils étaient deux tout-petits, et elle demanda à travers ses larmes, avec une ténacité de femme volontaire et gâtée, qui ne veut jamais attendre :

« Mais l'autre petit n'est pas à vous ? »

Le père Tuvache répondit :

« Non, c'est aux voisins ; vous pouvez y aller, si vous voulez. »

Et il rentra dans sa maison, où retentissait la voix indignée de sa femme.

Les Vallin étaient à table, en train de manger avec lenteur des tranches de pain qu'ils frottaient parcimonieusement avec un peu de beurre piqué au couteau, dans une assiette entre eux deux.

M. d'Hubières recommença ses propositions, mais avec plus d'insinuations, de précautions oratoires, d'astuce.

Les deux ruraux hochaient la tête en signe de refus ; mais quand ils apprirent qu'ils auraient cent francs par mois, ils se considérèrent, se consultant de l'œil, très ébranlés.

Ils gardèrent longtemps le silence, torturés, hésitants. La femme enfin demanda :

« Qué qu't'en dis, l'homme ? »

Il prononça d'un ton sentencieux :

« J'dis qu'c'est point méprisable. »

Alors Mme d'Hubières, qui tremblait d'angoisse, leur parla de l'avenir du petit, de son bonheur, et de tout l'argent qu'il pourrait leur donner plus tard.

Le paysan demanda :

« C'te rente de douze cents francs, ce s'ra promis d'vant l'notaire ? »

M. d'Hubières répondit :

« Mais certainement, dès demain. »

La fermière, qui méditait, reprit :

« Cent francs par mois, c'est point suffisant pour nous priver du p'tit ; ça travaillera dans quéqu'z'ans c't'éfant ; i nous faut cent vingt francs. »

Mme d'Hubières, trépignant d'impatience, les accorda tout de suite ; et, comme elle voulait enlever l'enfant, elle donna cent francs en cadeau pendant que son mari faisait un écrit. Le maire et un voisin, appelés aussitôt, servirent de témoins complaisants.

Et la jeune femme, radieuse, emporta le marmot hurlant, comme on emporte un bibelot désiré d'un magasin.

Les Tuvache, sur leur porte, le regardaient partir, muets, sévères, regrettant peut-être leur refus.

On n'entendit plus du tout parler du petit Jean Vallin. Les parents, chaque mois, allaient toucher leurs cent vingt francs chez le notaire ; et ils étaient fâchés avec leurs voisins parce que la mère Tuvache les agonisait d'ignominies, répétant sans cesse de porte en porte qu'il fallait être dénaturé pour vendre son enfant, que c'était une horreur, une saleté, une corromperie.

Et parfois elle prenait en ses bras son Charlot avec ostentation, lui criant, comme s'il eût compris :

« J't'ai pas vendu, mé, j't'ai pas vendu, mon p'tiot.

J'vends pas m's éfants, mé. J'sieus pas riche, mais vends pas m's'éfants. »

Et, pendant des années et encore des années, ce fut ainsi chaque jour ; chaque jour des allusions grossières qui étaient vociférées devant la porte, de façon à entrer dans la maison voisine. La mère Tuvache avait fini par se croire supérieure à toute la contrée parce qu'elle n'avait pas vendu Charlot. Et ceux qui parlaient d'elle disaient :

« J'sais ben que c'était engageant, c'est égal, elle s'a conduite comme une bonne mère. »

On la citait ; et Charlot, qui prenait dix-huit ans, élevé dans cette idée qu'on lui répétait sans répit, se jugeait lui-même supérieur à ses camarades, parce qu'on ne l'avait pas vendu.

Les Vallin vivotaient à leur aise, grâce à la pension. La fureur inapaisable des Tuvache, restés misérables, venait de là.

Leur fils aîné partit au service. Le second mourut ; Charlot resta seul à peiner avec le vieux père pour nourrir la mère et deux autres sœurs cadettes qu'il avait [1].

Il prenait vingt et un ans, quand, un matin, une brillante voiture s'arrêta devant les deux chaumières. Un jeune monsieur, avec une chaîne de montre en or, descendit, donnant la main à une vieille dame en cheveux blancs. La vieille dame lui dit :

« C'est là, mon enfant, à la seconde maison. »

Et il entra comme chez lui dans la masure des Vallin.

La vieille mère lavait ses tabliers ; le père, infirme, sommeillait près de l'âtre. Tous deux levèrent la tête, et le jeune homme dit :

« Bonjour, papa ; bonjour, maman. »

Ils se dressèrent effarés. La paysanne laissa tomber d'émoi son savon dans son eau et balbutia :

1. Contradiction avec le début du conte, où il est dit que les Tuvache avaient trois filles et un garçon.

« C'est-i té, m'n éfant ? C'est-i té, m'n éfant ? »

Il la prit dans ses bras et l'embrassa, en répétant : « Bonjour, maman. » Tandis que le vieux, tout tremblant, disait, de son ton calme qu'il ne perdait jamais : « Te v'là-t'il revenu, Jean ? » Comme s'il l'avait vu un mois auparavant.

Et, quand ils se furent reconnus, les parents voulurent tout de suite sortir le fieu dans le pays pour le montrer. On le conduisit chez le maire, chez l'adjoint, chez le curé, chez l'instituteur.

Charlot, debout sur le seuil de sa chaumière, le regardait passer.

Le soir au souper, il dit aux vieux :

« Faut-il qu' vous ayez été sots pour laisser prendre le p'tit aux Vallin ! »

Sa mère répondit obstinément :

« J'voulions point vendre not'éfant. »

Le père ne disait rien.

Le fils reprit :

« C'est-il pas malheureux d'être sacrifié comme ça. »

Alors le père Tuvache articula d'un ton coléreux :

« Vas-tu pas nous r'procher d' t'avoir gardé ? »

Et le jeune homme, brutalement :

« Oui, j'vous le r'proche, que vous n'êtes que des niants. Des parents comme vous ça fait l'malheur des éfants. Qu'vous mériteriez que j'vous quitte. »

La bonne femme pleurait dans son assiette. Elle gémit tout en avalant des cuillerées de soupe dont elle répandait la moitié :

« Tuez-vous donc pour élever d's éfants ! »

Alors le gars, rudement :

« J'aimerais mieux n'être point né que d'être c' que j'suis. Quand j'ai vu l'autre, tantôt, mon sang n'a fait qu'un tour. Je m'suis dit : — v'là c'que j'serais maintenant. »

Il se leva.

« Tenez, j'sens bien que je ferai mieux de n'pas rester ici, parce que j'vous le reprocherais du matin au soir, et que j'vous ferais une vie d'misère. Ça, voyez-vous, j'vous l'pardonnerai jamais ! »

Les deux vieux se taisaient, atterrés, larmoyants.

Il reprit :

« Non, c't'idée-là, ce serait trop dur. J'aime mieux m'en aller chercher ma vie aut'part. »

Il ouvrit la porte. Un bruit de voix entra. Les Vallin festoyaient avec l'enfant revenu.

Alors Charlot tapa du pied et, se tournant vers ses parents, cria :

« Manants, va ! »

Et il disparut dans la nuit.

UN COQ CHANTA[1]

À René Billotte[2].

Mme Berthe d'Avancelles avait jusque-là repoussé toutes les supplications de son admirateur désespéré, le baron Joseph de Croissard. Pendant l'hiver à Paris, il l'avait ardemment poursuivie, et il donnait pour elle maintenant des fêtes et des chasses en son château normand de Carville[3].

Le mari, M. d'Avancelles, ne voyait rien, ne savait rien, comme toujours. Il vivait, disait-on, séparé de sa femme, pour cause de faiblesse physique, que Madame ne lui pardonnait point. C'était un gros petit homme, chauve, court de bras, de jambes, de cou, de nez, de tout.

Mme d'Avancelles était au contraire une grande jeune femme brune et déterminée, qui riait d'un rire sonore au nez de son maître, qui l'appelait publiquement « madame Popote » et regardait d'un certain air engageant et tendre les larges épaules et l'encolure

1. Parution dans *Gil Blas*, le 5 juillet 1882 (Maufrigneuse).
2. René Billotte (1846-1914), peintre paysagiste, était un ami solide de Maupassant, qui canota avec lui.
3. Il y a deux Carville en Normandie.

robuste et les longues moustaches blondes de son soupirant attitré, le baron Joseph de Croissard.

Elle n'avait encore rien accordé cependant. Le baron se ruinait pour elle. C'étaient sans cesse des fêtes, des chasses, des plaisirs nouveaux auxquels il invitait la noblesse des châteaux environnants.

Tout le jour, les chiens courants hurlaient par les bois à la suite du renard et du sanglier, et, chaque soir, d'éblouissants feux d'artifice allaient mêler aux étoiles leurs panaches de feu, tandis que les fenêtres illuminées du salon jetaient sur les vastes pelouses des traînées de lumière où passaient des ombres.

C'était l'automne, la saison rousse. Les feuilles voltigeaient sur les gazons comme des volées d'oiseaux. On sentait traîner dans l'air des odeurs de terre humide, de terre dévêtue, comme on sent une odeur de chair nue, quand tombe, après le bal, la robe d'une femme.

Un soir, dans une fête, au dernier printemps, Mme d'Avancelles avait répondu à M. de Croissard qui la harcelait de ses prières : « Si je dois tomber, mon ami, ce ne sera pas avant la chute des feuilles. J'ai trop de choses à faire cet été pour avoir le temps. » Il s'était souvenu de cette parole rieuse et hardie ; et, chaque jour, il insistait davantage, chaque jour il avançait ses approches, il gagnait un pas dans le cœur de la belle audacieuse qui ne résistait plus, semblait-il, que pour la forme.

Une grande chasse allait avoir lieu. Et, la veille, Mme Berthe avait dit, en riant, au baron : « Baron, si vous tuez la bête, j'aurai quelque chose pour vous. »

Dès l'aurore, il fut debout pour reconnaître où le solitaire s'était baugé[1]. Il accompagna ses piqueurs, disposa les relais, organisa tout lui-même pour préparer son triomphe ; et, quand les cors sonnèrent le départ, il apparut dans un étroit vêtement de chasse rouge et

1. De bauge (souille) : endroit boueux où gîte le sanglier.

or, les reins serrés, le buste large, l'œil radieux, frais et fort comme s'il venait de sortir du lit.

Les chasseurs partirent. Le sanglier débusqué fila, suivi des chiens hurleurs, à travers des broussailles ; et les chevaux se mirent à galoper, emportant par les étroits sentiers des bois les amazones et les cavaliers, tandis que, sur les chemins amollis, roulaient sans bruit les voitures qui accompagnaient de loin la chasse.

Mme d'Avancelles, par malice, retint le baron près d'elle, s'attardant, au pas, dans une grande avenue interminablement droite et longue et sur laquelle quatre rangs de chênes se repliaient comme une voûte.

Frémissant d'amour et d'inquiétude, il écoutait d'une oreille le bavardage moqueur de la jeune femme, et de l'autre il suivait le chant des cors et la voix des chiens qui s'éloignaient.

« Vous ne m'aimez donc plus ? » disait-elle.

Il répondait : « Pouvez-vous dire des choses pareilles ? »

Elle reprenait : « La chasse cependant semble vous occuper plus que moi. »

Il gémissait : « Ne m'avez-vous point donné l'ordre d'abattre moi-même l'animal ? »

Et elle ajoutait gravement : « Mais j'y compte. Il faut que vous le tuiez devant moi. »

Alors il frémissait sur sa selle, piquait son cheval qui bondissait, et, perdant patience : « Mais sacristi ! madame, cela ne se pourra pas si nous restons ici. »

Puis elle lui parlait tendrement, posant la main sur son bras, ou flattant, comme par distraction, la crinière de son cheval.

Et elle lui jetait, en riant : « Il faut que cela soit, pourtant... ou alors... tant pis pour vous. »

Puis ils tournèrent à droite dans un petit chemin couvert, et soudain, pour éviter une branche qui barrait la route, elle se pencha sur lui, si près qu'il sentit sur son cou le chatouillement des cheveux. Alors brutalement il l'enlaça, et appuyant sur la tempe ses grandes moustaches, il la baisa d'un baiser furieux.

Elle ne remua point d'abord, restant ainsi sous cette caresse emportée ; puis, d'une secousse, elle tourna la tête, et, soit hasard, soit volonté, ses petites lèvres à elle rencontrèrent ses lèvres à lui, sous leur cascade de poils blonds.

Alors, soit confusion, soit remords, elle cingla le flanc de son cheval, qui partit au grand galop. Ils allèrent ainsi longtemps, sans échanger même un regard.

Le tumulte de la chasse se rapprochait ; les fourrés semblaient frémir, et tout à coup, brisant les branches, couvert de sang, secouant les chiens qui s'attachaient à lui, le sanglier passa.

Alors le baron, poussant un rire de triomphe, cria : « Qui m'aime me suive ! » Et il disparut, dans les taillis, comme si la forêt l'eût englouti.

Quand elle arriva, quelques minutes plus tard, dans une clairière, il se relevait souillé de boue, la jaquette déchirée, les mains sanglantes, tandis que la bête étendue portait dans l'épaule le couteau de chasse enfoncé jusqu'à la garde.

La curée se fit aux flambeaux par une nuit douce et mélancolique. La lune jaunissait la flamme rouge des torches qui embrumaient la nuit de leur fumée résineuse. Les chiens mangeaient les entrailles puantes du sanglier, et criaient, et se battaient. Et les piqueurs et les gentilshommes chasseurs, en cercle autour de la curée, sonnaient du cor à plein souffle. La fanfare s'en allait dans la nuit claire au-dessus des bois, répétée par les échos perdus des vallées lointaines, réveillant les cerfs inquiets, les renards glapissants et troublant en leurs ébats les petits lapins gris, au bord des clairières.

Les oiseaux de nuit voletaient, effarés, au-dessus de la meute affolée d'ardeur. Et des femmes, attendries par toutes ces choses douces et violentes, s'appuyant un peu au bras des hommes, s'écartaient déjà dans les allées, avant que les chiens eussent fini leur repas.

Tout alanguie par cette journée de fatigue et de tendresse, Mme d'Avancelles dit au baron :

« Voulez-vous faire un tour dans le parc, mon ami ? »

Mais lui, sans répondre, tremblant, défaillant, l'entraîna.

Et, tout de suite, ils s'embrassèrent. Ils allaient au pas, au petit pas, sous les branches presque dépouillées et qui laissaient filtrer la lune ; et leur amour, leurs désirs, leur besoin d'étreinte étaient devenus si véhéments qu'ils faillirent choir au pied d'un arbre.

Les cors ne sonnaient plus. Les chiens épuisés dormaient au chenil. « Rentrons », dit la jeune femme. Ils revinrent.

Puis, lorsqu'ils furent devant le château, elle murmura d'une voix mourante : « Je suis si fatiguée que je vais me coucher, mon ami. » Et, comme il ouvrait les bras pour la prendre en un dernier baiser, elle s'enfuit, lui jetant comme adieu : « Non... je vais dormir... Qui m'aime me suive ! »

Une heure plus tard, alors que tout le château silencieux semblait mort, le baron sortit à pas de loup de sa chambre et s'en vint gratter à la porte de son amie. Comme elle ne répondait pas, il essaya d'ouvrir. Le verrou n'était point poussé.

Elle rêvait, accoudée à la fenêtre.

Il se jeta à ses genoux qu'il baisait éperdument à travers la robe de nuit. Elle ne disait rien, enfonçant ses doigts fins, d'une manière caressante, dans les cheveux du baron.

Et soudain, se dégageant comme si elle eût pris une grande résolution, elle murmura de son air hardi, mais à voix basse : « Je vais revenir. Attendez-moi. » Et son doigt, tendu dans l'ombre montrait au fond de la chambre la tache vague et blanche du lit.

Alors, à tâtons, éperdu, les mains tremblantes, il se dévêtit bien vite et s'enfonça dans les draps frais. Il s'étendit délicieusement, oubliant presque son amie, tant il avait plaisir à cette caresse du linge sur son corps las de mouvement.

Elle ne revenait point, pourtant ; s'amusant sans doute à le faire languir. Il fermait les yeux dans un bien-être exquis ; et il rêvait doucement dans l'attente délicieuse de la chose tant désirée. Mais peu à peu ses membres s'engourdirent, sa pensée s'assoupit, devint incertaine, flottante. La puissante fatigue enfin le terrassa ; il s'endormit.

Il dormit du lourd sommeil, de l'invincible sommeil des chasseurs exténués. Il dormit jusqu'à l'aurore.

Tout à coup, la fenêtre étant restée entrouverte, un coq, perché dans un arbre voisin, chanta. Alors brusquement, surpris par ce cri sonore, le baron ouvrit les yeux.

Sentant contre lui un corps de femme, se trouvant en un lit qu'il ne reconnaissait pas, surpris et ne se souvenant plus de rien, il balbutia, dans l'effarement du réveil :

« Quoi ? Où suis-je ? Qu'y a-t-il ? »

Alors elle, qui n'avait point dormi, regardant cet homme dépeigné, aux yeux rouges, à la lèvre épaisse, répondit, du ton hautain dont elle parlait à son mari :

« Ce n'est rien. C'est un coq qui chante. Rendormez-vous, monsieur, cela ne vous regarde pas. »

UN FILS[1]

À René Maizeroy[2].

Ils se promenaient, les deux vieux amis, dans le jardin tout fleuri où le gai printemps remuait de la vie.

L'un était sénateur, et l'autre de l'Académie française, graves tous deux, pleins de raisonnements très logiques mais solennels, gens de marque et de réputation.

Ils parlotèrent d'abord de politique, échangeant des pensées, non pas sur des Idées, mais sur des hommes : les personnalités, en cette matière, primant toujours la Raison. Puis ils soulevèrent quelques souvenirs ; puis ils se turent, continuant à marcher côte à côte, tout amollis par la tiédeur de l'air.

Une grande corbeille de ravenelles exhalait des souffles sucrés et délicats ; un tas de fleurs de toute race et de toute nuance jetaient leurs odeurs dans la brise, tandis qu'un faux-ébénier, vêtu de grappes jaunes, éparpillait au vent sa fine poussière, une fumée d'or qui sentait le miel et qui portait, pareille aux poudres

1. Première publication dans *Gil Blas* du 19 avril 1882 (Maufrigneuse).

2. René Maizeroy (1856-1918) est le pseudonyme d'un journaliste et romancier « de mœurs ». Il était un grand ami de Maupassant.

caressantes des parfumeurs, sa semence embaumée à travers l'espace.

Le sénateur s'arrêta, huma le nuage fécondant qui flottait, considéra l'arbre amoureux resplendissant comme un soleil et dont les germes s'envolaient. Et il dit : « Quand on songe que ces imperceptibles atomes qui sentent bon, vont créer des existences à des centaines de lieues d'ici, vont faire tressaillir les fibres et les sèves d'arbres femelles et produire des êtres à racines, naissant d'un germe, comme nous, mortels comme nous, et qui seront remplacés par d'autres êtres de même essence, comme nous toujours ! »

Puis, planté devant l'ébénier radieux dont les parfums vivifiants se détachaient à tous les frissons de l'air, M. le sénateur ajouta : « Ah ! mon gaillard, s'il te fallait faire le compte de tes enfants, tu serais bigrement embarrassé. En voilà un qui les exécute facilement et qui les lâche sans remords, et qui ne s'en inquiète guère. »

L'académicien ajouta : « Nous en faisons autant, mon ami. »

Le sénateur reprit : « Oui, je ne le nie pas, nous les lâchons quelquefois, mais nous le savons au moins, et cela constitue notre supériorité. »

Mais l'autre secoua la tête : « Non, ce n'est pas là ce que je veux dire ; voyez-vous, mon cher, il n'est guère d'homme qui ne possède des enfants ignorés, ces enfants dits *de père inconnu*, qu'il a faits, comme cet arbre reproduit, presque inconsciemment.

« S'il fallait établir le compte des femmes que nous avons eues, nous serions, n'est-ce pas, aussi embarrassés que cet ébénier que vous interpelliez le serait pour numéroter ses descendants.

« De dix-huit à quarante ans enfin, en faisant entrer en ligne les rencontres passagères, les contacts d'une heure, on peut bien admettre que nous avons eu des... rapports intimes avec deux ou trois cents femmes.

« Eh bien, mon ami, dans ce nombre êtes-vous sûr que vous n'en ayez pas fécondé au moins une, et que vous ne possédiez point sur le pavé, ou au bagne, un chenapan de fils qui vole et assassine les honnêtes gens, c'est-à-dire nous ; ou bien une fille dans quelque mauvais lieu ; ou peut-être, si elle a eu la chance d'être abandonnée par sa mère, cuisinière en quelque famille.

« Songez en outre que presque toutes les femmes que nous appelons *publiques* possèdent un ou deux enfants dont elles ignorent le père, enfants attrapés dans le hasard de leurs étreintes à dix ou vingt francs. Dans tout métier on fait la part des profits et pertes. Ces rejetons-là constituent les « pertes » de leur profession. Quels sont les générateurs ? — Vous, — moi, — nous tous, les hommes dits *comme il faut* ! Ce sont les résultats de nos joyeux dîners d'amis, de nos soirs de gaieté, de ces heures où notre chair contente nous pousse aux accouplements d'aventure.

« Les voleurs, les rôdeurs, tous les misérables, enfin, sont nos enfants. Et cela vaut encore mieux pour nous que si nous étions les leurs, car ils reproduisent aussi, ces gredins-là !

« Tenez, j'ai, pour ma part, sur la conscience une très vilaine histoire que je veux vous dire. C'est pour moi un remords incessant, plus que cela, c'est un doute continuel, une inapaisable incertitude qui, parfois, me torture horriblement. »

À l'âge de vingt-cinq ans j'avais entrepris avec un de mes amis, aujourd'hui conseiller d'État, un voyage en Bretagne, à pied.

Après quinze ou vingt jours de marche forcenée, après avoir visité les Côtes-du-Nord et une partie du Finistère, nous arrivions à Douarnenez ; de là, en une étape, on gagna la sauvage pointe du Raz par la baie des Trépassés, et on coucha dans un village quelconque dont le nom finissait en *of* ; mais, le matin venu, une fatigue étrange retint au lit mon camarade. Je dis au lit par habitude, car notre couche se composait simplement de deux bottes de paille.

Impossible d'être malade en ce lieu. Je le forçai donc à se lever, et nous parvînmes à Audierne vers quatre ou cinq heures du soir.

Le lendemain, il allait un peu mieux ; on repartit ; mais, en route, il fut pris de malaises intolérables, et c'est à grand-peine que nous pûmes atteindre Pont-Labbé.

Là, au moins, nous avions une auberge. Mon ami se coucha, et le médecin, qu'on fit venir de Quimper, constata une forte fièvre, sans en déterminer la nature.

Connaissez-vous Pont-Labbé ? — Non. — Eh bien, c'est la ville la plus bretonne de toute cette Bretagne bretonnante qui va de la pointe du Raz au Morbihan, de cette contrée qui contient l'essence des mœurs, des légendes, des coutumes bretonnes. Encore aujourd'hui, ce coin de pays n'a presque pas changé. Je dis : *encore aujourd'hui*, car j'y retourne à présent tous les ans, hélas !

Un vieux château baigne le pied de ses tours dans un grand étang triste, triste, avec des vols d'oiseaux sauvages. Une rivière sort de là que les caboteurs peuvent remonter jusqu'à la ville. Et dans les rues étroites aux maisons antiques, les hommes portent le grand chapeau, le gilet brodé et les quatre vestes superposées : la première, grande comme la main, couvrant au plus les omoplates, et la dernière s'arrêtant juste au-dessus du fond de culotte.

Les filles, grandes, belles, fraîches, ont la poitrine écrasée dans un gilet de drap qui forme cuirasse, les étreint, ne laissant même pas deviner leur gorge puissante et martyrisée ; et elles sont coiffées d'une étrange façon : sur les tempes, deux plaques brodées en couleur encadrent le visage, serrent les cheveux qui tombent en nappe derrière la tête, puis remontent se tasser au sommet du crâne sous un singulier bonnet, tissu souvent d'or ou d'argent.

La servante de notre auberge avait dix-huit ans au plus, des yeux tout bleus, d'un bleu pâle que perçaient les deux petits points noirs de la prunelle ; et ses dents courtes, serrées, qu'elle montrait sans cesse en riant, semblaient faites pour broyer du granit.

Elle ne savait pas un mot de français, ne parlant que le breton, comme la plupart de ses compatriotes.

Or, mon ami n'allait guère mieux, et, bien qu'aucune maladie ne se déclarât, le médecin lui défendait de partir encore, ordonnant un repos complet. Je passais donc les journées près de lui, et sans cesse la petite bonne entrait, apportant, soit mon dîner, soit de la tisane.

Je la lutinais un peu, ce qui semblait l'amuser, mais nous ne causions pas, naturellement, puisque nous ne nous comprenions point.

Or, une nuit, comme j'étais resté fort tard auprès du malade, je croisai, en regagnant ma chambre, la fillette qui rentrait dans la sienne. C'était juste en face de ma porte ouverte ; alors, brusquement, sans réfléchir à ce que je faisais, plutôt par plaisanterie qu'autrement, je la saisis à pleine taille, et, avant qu'elle fût revenue de sa stupeur, je l'avais jetée et enfermée chez moi. Elle me regardait, effarée, affolée, épouvantée, n'osant pas crier de peur d'un scandale, d'être chassée sans doute par ses maîtres d'abord, et peut-être par son père ensuite.

J'avais fait cela en riant ; mais, dès qu'elle fut chez moi, le désir de la posséder m'envahit. Ce fut une lutte longue et silencieuse, une lutte corps à corps, à la façon des athlètes, avec les bras tendus, crispés, tordus, la respiration essoufflée, la peau mouillée de sueur. Oh ! elle se débattit vaillamment ; et parfois nous heurtions un meuble, une cloison, une chaise ; alors, toujours enlacés, nous restions immobiles plusieurs secondes dans la crainte que le bruit n'eût éveillé quelqu'un ; puis nous recommencions notre acharnée bataille, moi l'attaquant, elle résistant.

Épuisée enfin, elle tomba ; et je la pris brutalement, par terre, sur le pavé.

Sitôt relevée, elle courut à la porte, tira les verrous et s'enfuit.

Je la rencontrai à peine les jours suivants. Elle ne

me laissait point l'approcher. Puis, comme mon camarade était guéri et que nous devions reprendre notre voyage, je la vis entrer, la veille de mon départ, à minuit, nu-pieds, en chemise, dans ma chambre où je venais de me retirer.

Elle se jeta dans mes bras, m'étreignit passionnément, puis, jusqu'au jour, m'embrassa, me caressa, pleurant, sanglotant, me donnant enfin toutes les assurances de tendresse et de désespoir qu'une femme nous peut donner quand elle ne sait pas un mot de notre langue.

Huit jours après, j'avais oublié cette aventure commune et fréquente quand on voyage, les servantes d'auberge étant généralement destinées à distraire ainsi les voyageurs.

Et je fus trente ans sans y songer et sans revenir à Pont-Labbé.

Or, en 1876, j'y retournai par hasard au cours d'une excursion en Bretagne, entreprise pour documenter un livre et pour me bien pénétrer des paysages.

Rien ne me sembla changé. Le château mouillait toujours ses murs grisâtres dans l'étang, à l'entrée de la petite ville ; et l'auberge était la même quoique réparée, remise à neuf, avec un air plus moderne. En entrant, je fus reçu par deux jeunes Bretonnes de dix-huit ans, fraîches et gentilles, encuirassées dans leur étroit gilet de drap, casquées d'argent avec les grandes plaques brodées sur les oreilles.

Il était environ six heures du soir. Je me mis à table pour dîner et, comme le patron s'empressait lui-même à me servir, la fatalité sans doute me fit dire : « Avez-vous connu les anciens maîtres de cette maison ? J'ai passé ici une dizaine de jours il y a trente ans maintenant. Je vous parle de loin. »

Il répondit : « C'étaient mes parents, monsieur. »

Alors je lui racontai en quelle occasion je m'étais arrêté, comment j'avais été retenu par l'indisposition d'un camarade. Il ne me laissa pas achever.

« Oh ! je me rappelle parfaitement. J'avais alors

quinze ou seize ans. Vous couchiez dans la chambre du fond et votre ami dans celle dont j'ai fait la mienne, sur la rue. »

C'est alors seulement que le souvenir très vif de la petite bonne me revint. Je demandai : « Vous rappelez-vous une gentille petite servante qu'avait alors votre père, et qui possédait, si ma mémoire ne me trompe, de jolis yeux bleus et des dents fraîches ? »

Il reprit : « Oui, monsieur ; elle est morte en couches quelque temps après. »

Et, tendant la main vers la cour où un homme maigre et boiteux remuait du fumier, il ajouta : « Voilà son fils. »

Je me mis à rire. « Il n'est pas beau et ne ressemble guère à sa mère. Il tient du père sans doute. »

L'aubergiste reprit : « Ça se peut bien ; mais on n'a jamais su à qui c'était. Elle est morte sans le dire et personne ici ne lui connaissait de galant. Ç'a été un fameux étonnement quand on a appris qu'elle était enceinte. Personne ne voulait le croire. »

J'eus une sorte de frisson désagréable, un de ces effleurements pénibles qui nous touchent le cœur, comme l'approche d'un lourd chagrin. Et je regardai l'homme dans la cour. Il venait maintenant de puiser de l'eau pour les chevaux et portait ses deux seaux en boitant, avec un effort douloureux de la jambe plus courte. Il était déguenillé, hideusement sale, avec de longs cheveux jaunes tellement mêlés qu'ils lui tombaient comme des cordes sur les joues.

L'aubergiste ajouta : « Il ne vaut pas grand-chose, ç'a été gardé par charité dans la maison. Peut-être qu'il aurait mieux tourné si on l'avait élevé comme tout le monde. Mais que voulez-vous, monsieur ? Pas de père, pas de mère, pas d'argent ! Mes parents ont eu pitié de l'enfant, mais ce n'était pas à eux, vous comprenez. »

Je ne dis rien.

Et je couchai dans mon ancienne chambre ; et toute la nuit je pensai à cet affreux valet d'écurie en me répétant : « Si c'était mon fils, pourtant ? Aurais-je donc pu tuer cette fille et procréer cet être ? » C'était possible, enfin !

Je résolus de parler à cet homme et de connaître exactement la date de sa naissance. Une différence de deux mois devait m'arracher mes doutes.

Je le fis venir le lendemain. Mais il ne parlait pas le français non plus. Il avait l'air de ne rien comprendre d'ailleurs, ignorant absolument son âge qu'une des bonnes lui demanda de ma part. Et il se tenait d'un air idiot devant moi, roulant son chapeau dans ses pattes noueuses et dégoûtantes, riant stupidement, avec quelque chose du rire ancien de la mère dans le coin des lèvres et dans le coin des yeux.

Mais le patron survenant alla chercher l'acte de naissance du misérable. Il était entré dans la vie huit mois et vingt-six jours après mon passage à Pont-Labbé, car je me rappelais parfaitement être arrivé à Lorient le 15 août. L'acte portait la mention : « Père inconnu. » La mère s'était appelée Jeanne Kerradec.

Alors mon cœur se mit à battre à coups pressés. Je ne pouvais plus parler tant je me sentais suffoqué ; et je regardais cette brute dont les grands cheveux jaunes semblaient un fumier plus sordide que celui des bêtes ; et le gueux, gêné par mon regard, cessait de rire, détournait la tête, cherchait à s'en aller.

Tout le jour j'errai le long de la petite rivière, en réfléchissant douloureusement. Mais à quoi bon réfléchir ? Rien ne pouvait me fixer. Pendant des heures et des heures je pesais toutes les raisons bonnes ou mauvaises pour ou contre mes chances de paternité, m'énervant en des suppositions inextricables, pour revenir sans cesse à la même horrible incertitude, puis à la conviction plus atroce encore que cet homme était mon fils.

Je ne pus dîner et je me retirai dans ma chambre. Je fus longtemps sans parvenir à dormir ; puis le sommeil vint, un sommeil hanté de visions insupportables. Je voyais ce goujat qui me riait au nez, m'appelait « papa » ; puis il se changeait en chien et me mordait les mollets, et, j'avais beau me sauver, il me suivait toujours, et, au lieu d'aboyer, il parlait, m'injuriait ; puis il comparaissait devant mes collègues de l'Académie réunis pour décider si j'étais bien son père ; et l'un d'eux s'écriait : « C'est indubitable ! Regardez donc comme il lui ressemble. » Et en effet je m'apercevais que ce monstre me ressemblait. Et je me réveillai avec cette idée plantée dans le crâne et avec le désir fou de revoir l'homme pour décider si, oui ou non, nous avions des traits communs.

Je le joignis comme il allait à la messe (c'était un dimanche) et je lui donnai cent sous en le dévisageant anxieusement. Il se remit à rire d'une ignoble façon, prit l'argent, puis, gêné de nouveau par mon œil, il s'enfuit après avoir bredouillé un mot à peu près inarticulé, qui voulait dire « merci », sans doute.

La journée se passa pour moi dans les mêmes angoisses que la veille. Vers le soir, je fis venir l'hôtelier, et avec beaucoup de précautions, d'habiletés, de finesses, je lui dis que je m'intéressais à ce pauvre être si abandonné de tous et privé de tout, et que je voulais faire quelque chose pour lui.

Mais l'homme répliqua : « Oh ! n'y songez pas, monsieur, il ne vaut rien, vous n'en aurez que du désagrément. Moi, je l'emploie à vider l'écurie, et c'est tout ce qu'il peut faire. Pour ça je le nourris et il couche avec les chevaux. Il ne lui en faut pas plus. Si vous avez une vieille culotte, donnez-la-lui, mais elle sera en pièces dans huit jours. »

Je n'insistai pas, me réservant d'aviser.

Le gueux rentra le soir horriblement ivre, faillit mettre le feu à la maison, assomma un cheval à coup de pioche, et, en fin de compte, s'endormit dans la boue sous la pluie, grâce à mes largesses.

On me pria le lendemain de ne plus lui donner d'argent. L'eau-de-vie le rendait furieux, et, dès qu'il avait deux sous en poche, il les buvait. L'aubergiste ajouta : « Lui donner de l'argent, c'est vouloir sa mort. » Cet homme n'en avait jamais eu, absolument jamais, sauf quelques centimes jetés par les voyageurs, et il ne connaissait pas d'autre destination à ce métal que le cabaret.

Alors je passai des heures dans ma chambre, avec un livre ouvert que je semblais lire, mais ne faisant autre chose que de regarder cette brute, mon fils ! mon fils ! en tâchant de découvrir s'il avait quelque chose de moi. À force de chercher je crus reconnaître des lignes semblables dans le front et à la naissance du nez, et je fus bientôt convaincu d'une ressemblance que dissimulaient l'habillement différent et la crinière hideuse de l'homme.

Mais je ne pouvais demeurer plus longtemps sans devenir suspect, et je partis, le cœur broyé, après avoir laissé à l'aubergiste quelque argent pour adoucir l'existence de son valet.

Or, depuis six ans, je vis avec cette pensée, cette horrible incertitude, ce doute abominable. Et, chaque année, une force invincible me ramène à Pont-Labbé. Chaque année je me condamne à ce supplice de voir cette brute patauger dans son fumier, de m'imaginer qu'il me ressemble, de chercher, toujours en vain, à lui être secourable. Et chaque année je reviens ici, plus indécis, plus torturé, plus anxieux.

J'ai essayé de le faire instruire. Il est idiot sans ressource.

J'ai essayé de lui rendre la vie moins pénible. Il est irrémédiablement ivrogne et emploie à boire tout l'argent qu'on lui donne et il sait fort bien vendre ses habits neufs pour se procurer de l'eau-de-vie.

J'ai essayé d'apitoyer sur lui son patron pour qu'il le ménageât, en offrant toujours de l'argent. L'aubergiste, étonné à la fin, m'a répondu fort sagement : « Tout ce que vous ferez pour lui, monsieur, ne servira qu'à le perdre. Il faut le tenir comme un prisonnier. Sitôt qu'il a du temps ou du bien-être, il devient malfaisant. Si vous voulez faire du bien, ça ne manque pas, allez, les enfants abandonnés, mais choisissez-en un qui réponde à votre peine. »

Que dire à cela ?

Et si je laissais percer un soupçon des doutes qui me torturent, ce crétin, certes, deviendrait malin pour m'exploiter, me compromettre, me perdre, il me crierait « papa », comme dans mon rêve.

Et je me dis que j'ai tué la mère et perdu cet être atrophié, larve d'écurie, éclose et poussée dans le fumier, cet homme qui, élevé comme d'autres, aurait été pareil aux autres.

Et vous ne vous figurez pas la sensation étrange, confuse et intolérable que j'éprouve en face de lui en songeant que cela est sorti de moi, qu'il tient à moi par ce lien intime qui lie le fils au père, que, grâce aux terribles lois de l'hérédité, il est moi par mille choses, par son sang et par sa chair, et qu'il a jusqu'aux mêmes germes de maladies, aux mêmes ferments de passions.

Et j'ai sans cesse un inapaisable et douloureux besoin de le voir ; et sa vue me fait horriblement souffrir ; et de ma fenêtre, là-bas, je le regarde pendant des heures remuer et charrier les ordures des bêtes, en me répétant : « C'est mon fils. »

Et je sens, parfois, d'intolérables envies de l'embrasser. Je n'ai même jamais touché sa main sordide.

L'académicien se tut. Et son compagnon, l'homme politique, murmura : « Oui, vraiment, nous devrions bien nous occuper un peu plus des enfants qui n'ont pas de père. »

Et un souffle de vent traversant le grand arbre jaune secoua ses grappes, enveloppa d'une nuée odorante et fine les deux vieillards qui la respirèrent à longs traits.

Et le sénateur ajouta : « C'est bon vraiment d'avoir vingt-cinq ans, et même de faire des enfants comme ça. »

SAINT-ANTOINE[1]

À X. Charmes[2].

On l'appelait Saint-Antoine, parce qu'il se nommait Antoine, et aussi peut-être parce qu'il était bon vivant, joyeux, farceur, puissant mangeur et fort buveur, et vigoureux trousseur de servantes, bien qu'il eût plus de soixante ans.

C'était un grand paysan du pays de Caux, haut en couleur, gros de poitrine et de ventre, et perché sur de longues jambes qui semblaient trop maigres pour l'ampleur du corps.

Veuf, il vivait seul avec sa bonne et ses deux valets dans sa ferme qu'il dirigeait en madré compère, soigneux de ses intérêts, entendu dans les affaires et dans l'élevage du bétail, et dans la culture de ses terres. Ses deux fils et ses trois filles mariés avec avantage, vivaient aux environs, et venaient, une fois par mois, dîner avec le père. Sa vigueur était célèbre dans tout le pays d'alentour ; on disait, en manière de proverbe : « Il est fort comme Saint-Antoine. »

1. Signé Maufrigneuse, ce conte parut pour la première fois dans *Gil Blas* du 3 avril 1883.

2. Xavier Charmes (1849-1919) fit entrer Maupassant, en 1878, au ministère de l'Instruction publique, au secrétariat duquel il occupa lui-même un poste de directeur.

Lorsque arriva l'invasion prussienne, Saint-Antoine, au cabaret, promettait de manger une armée, car il était hâbleur comme un vrai Normand, un peu couard et fanfaron. Il tapait du poing sur la table de bois, qui sautait en faisant danser les tasses et les petits verres, et il criait, la face rouge et l'œil sournois, dans une fausse colère de bon vivant : « Faudra que j'en mange, nom de Dieu ! » Il comptait bien que les Prussiens ne viendraient pas jusqu'à Tanneville[1], mais lorsqu'il apprit qu'ils étaient à Rautôt[1], il ne sortit plus de sa maison, et il guettait sans cesse la route par la petite fenêtre de sa cuisine, s'attendant à tout moment à voir passer des baïonnettes.

Un matin, comme il mangeait la soupe avec ses serviteurs, la porte s'ouvrit, et le maire de la commune, maître Chicot, parut suivi d'un soldat coiffé d'un casque noir à pointe de cuivre. Saint-Antoine se dressa d'un bond ; et tout son monde le regardait, s'attendant à le voir écharper le Prussien ; mais il se contenta de serrer la main du maire qui lui dit : « En v'là un pour toi, Saint-Antoine. Ils sont venus c'te nuit. Fais pas de bêtises surtout, vu qu'ils parlent de fusiller et de brûler tout si seulement il arrive la moindre chose. Te v'là prévenu. Donne-li à manger, il a l'air d'un bon gars. Bonsoir, je vas chez l's'autres. Y en a pour tout le monde. » Et il sortit.

Le père Antoine, devenu pâle, regarda son Prussien. C'était un gros garçon à la chair grasse et blanche, aux yeux bleus, au poil blond, barbu jusqu'aux pommettes, qui semblait idiot, timide et bon enfant. Le Normand malin le pénétra tout de suite, et, rassuré, lui fit signe de s'asseoir. Puis il lui demanda : « Voulez-vous de la soupe ? » L'étranger ne comprit pas. Antoine alors eut un coup d'audace, et, lui poussant sous le nez une assiette pleine : « Tiens, avale ça, gros cochon. »

1. Noms forgés à partir de ceux de Manneville et Routot, en Normandie.

Le soldat répondit : « Ya » et se mit à manger goulûment pendant que le fermier triomphant sentant sa réputation reconquise, clignait de l'œil à ses serviteurs qui grimaçaient étrangement, ayant en même temps grand-peur et envie de rire.

Quand le Prussien eut englouti son assiettée, Saint-Antoine lui en servit une autre qu'il fit disparaître également ; mais il recula devant la troisième, que le fermier voulait lui faire manger de force, en répétant : « Allons fous-toi ça dans le ventre. T'engraisseras ou tu diras pourquoi, va, mon cochon ! »

Et le soldat, comprenant seulement qu'on voulait le faire manger tout son saoul, riait d'un air content, en faisant signe qu'il était plein.

Alors Saint-Antoine, devenu tout à fait familier, lui tapa sur le ventre en criant : « Y en a-t-il dans la bedaine à mon cochon ! » Mais soudain il se tordit, rouge à tomber d'une attaque, ne pouvant plus parler. Une idée lui était venue qui le faisait étouffer de rire : « C'est ça, c'est ça, saint Antoine et son cochon. V'là mon cochon ! » Et les trois serviteurs éclatèrent à leur tour.

Le vieux était si content qu'il fit apporter l'eau-de-vie, la bonne, le fil-en-dix [1], et qu'il en régala tout le monde. On trinqua avec le Prussien, qui claqua de la langue par flatterie, pour indiquer qu'il trouvait ça fameux. Et Saint-Antoine lui criait dans le nez : « Hein ? En v'là d' la fine ! T'en bois pas comme ça chez toi, mon cochon. »

Dès lors, le père Antoine ne sortit plus sans son Prussien. Il avait trouvé là son affaire, c'était sa vengeance à lui, sa vengeance de gros malin. Et tout le pays, qui crevait de peur, riait à se tordre derrière le dos des vainqueurs de la farce de Saint-Antoine. Vraiment, dans la plaisanterie, il n'avait pas son pareil. Il n'y avait

1. Eau-de-vie très forte (il existait du fil-en-quatre et du fil-en-six).

que lui pour inventer des choses comme ça. Cré coquin, va !

Il s'en allait chez les voisins, tous les jours après midi, bras dessus bras dessous avec son Allemand qu'il présentait d'un air gai en lui tapant sur l'épaule : « Tenez, v'là mon cochon, r'gardez-moi s'il engraisse, c't'animal-là. »

Et les paysans s'épanouissaient. « Est-il donc rigolo, ce bougre d'Antoine ! »

« J' te l' vends, Césaire, trois pistoles.

— Je l' prends, Antoine, et j' t'invite à manger du boudin.

— Mé, c' que j' veux, c'est d' ses pieds.

— Tâte-li l' ventre, tu verras qu'il n'a que d' la graisse. »

Et tout le monde clignait de l'œil sans rire trop haut cependant, de peur que le Prussien devinât à la fin qu'on se moquait de lui. Antoine seul, s'enhardissant tous les jours, lui pinçait les cuisses en criant : « Rien qu' du gras » ; lui tapait sur le derrière en hurlant : « Tout ça d' la couenne » ; l'enlevait dans ses bras de vieux colosse capable de porter une enclume en déclarant : « Il pèse six cents, et pas de déchet. »

Et il avait pris l'habitude de faire offrir à manger à son cochon partout où il entrait avec lui. C'était là le grand plaisir, le grand divertissement de tous les jours : « Donnez-li de c' que vous voudrez, il avale tout. » Et on offrait à l'homme du pain et du beurre, des pommes de terre, du fricot froid, de l'andouille qui faisait dire : « De la vôtre, et du choix. »

Le soldat, stupide et doux, mangeait par politesse, enchanté de ces attentions, se rendait malade pour ne pas refuser ; et il engraissait vraiment, serré maintenant dans son uniforme, ce qui ravissait Saint-Antoine et lui faisait répéter : « Tu sais, mon cochon, faudra te faire faire une autre cage. »

Ils étaient devenus, d'ailleurs, les meilleurs amis du monde ; et quand le vieux allait à ses affaires dans les environs, le Prussien l'accompagnait de lui-même pour le seul plaisir d'être avec lui.

Le temps était rigoureux ; il gelait dur ; le terrible hiver de 1870 semblait jeter ensemble tous les fléaux sur la France.

Le père Antoine, qui préparait les choses de loin et profitait des occasions, prévoyant qu'il manquerait de fumier pour les travaux du printemps, acheta celui d'un voisin qui se trouvait dans la gêne ; et il fut convenu qu'il irait chaque soir avec son tombereau chercher une charge d'engrais.

Chaque jour donc il se mettait en route à l'approche de la nuit et se rendait à la ferme des Haules, distante d'une demi-lieue, toujours accompagné de son cochon. Et chaque jour c'était une fête de nourrir l'animal. Tout le pays accourait là comme on va, le dimanche, à la grand'messe.

Le soldat, cependant, commençait à se méfier ; et quand on riait trop fort il roulait des yeux inquiets qui, parfois, s'allumaient d'une flamme de colère.

Or, un soir, quand il eut mangé à sa contenance, il refusa d'avaler un morceau de plus ; et il essaya de se lever pour s'en aller. Mais Saint-Antoine l'arrêta d'un tour de poignet, et lui posant ses deux mains puissantes sur les épaules il le rassit si durement que la chaise s'écrasa sous l'homme.

Une gaieté de tempête éclata ; et Antoine, radieux, ramassant son cochon, fit semblant de le panser pour le guérir ; puis il déclara : « Puisque tu n' veux pas manger, tu vas boire, nom de Dieu ! » Et on alla chercher de l'eau-de-vie au cabaret.

Le soldat roulait des yeux méchants ; mais il but néanmoins ; il but tant qu'on voulut ; et Saint-Antoine lui tenait la tête, à la grande joie des assistants.

Le Normand, rouge comme une tomate, le regard en feu, emplissait les verres, trinquait en gueulant : « à la tienne ! » Et le Prussien, sans prononcer un mot, entonnait coup sur coup des lampées de cognac.

C'était une lutte, une bataille, une revanche ! À qui boirait le plus, nom d'un nom ! Ils n'en pouvaient ni l'un ni l'autre quand le litre fut séché. Mais aucun des deux n'était vaincu. Ils s'en allaient manche à manche, voilà tout. Faudrait recommencer le lendemain !

Ils sortirent en titubant et se mirent en route, à côté du tombereau de fumier que traînaient lentement les deux chevaux.

La neige commençait à tomber, et la nuit sans lune s'éclairait tristement de cette blancheur morte des plaines. Le froid saisit les deux hommes, augmentant leur ivresse, et Saint-Antoine, mécontent de n'avoir pas triomphé, s'amusait à pousser l'épaule de son cochon pour le faire culbuter dans le fossé. L'autre évitait les attaques par des retraites ; et, chaque fois, il prononçait quelques mots allemands sur un ton irrité qui faisait rire aux éclats le paysan. À la fin, le Prussien se fâcha ; et juste au moment où Antoine lui lançait une nouvelle bourrade, il répondit par un coup de poing terrible qui fit chanceler le colosse.

Alors, enflammé d'eau-de-vie, le vieux saisit l'homme à bras le corps, le secoua quelques secondes comme il eût fait d'un petit enfant, et il le lança à toute volée de l'autre côté du chemin. Puis, content de cette exécution, il croisa ses bras pour rire de nouveau.

Mais le soldat se releva vivement, nu-tête, son casque ayant roulé, et, dégainant son sabre, il se précipita sur le père Antoine.

Quand il vit cela, le paysan saisit son fouet par le milieu, son grand fouet de houx, droit, fort et souple comme un nerf de bœuf.

Le Prussien arriva, le front baissé, l'arme en avant, sûr de tuer. Mais le vieux, attrapant à pleine main la lame dont la pointe allait lui crever le ventre, l'écarta, et il frappa d'un coup sec sur la tempe, avec la poignée du fouet, son ennemi qui s'abattit à ses pieds.

Puis il regarda, effaré, stupide d'étonnement, le corps d'abord secoué de spasmes, puis immobile sur le ventre. Il se pencha, le retourna, le considéra quelque temps. L'homme avait les yeux clos ; et un filet de sang coulait d'une fente au coin du front. Malgré la nuit, le père Antoine distinguait la tache brune de ce sang sur la neige.

Il restait là, perdant la tête, tandis que son tombereau s'en allait toujours, au pas tranquille des chevaux.

Qu'allait-il faire ? Il serait fusillé ! On brûlerait sa ferme, on ruinerait le pays ! Que faire ? que faire ? Comment cacher le corps, cacher la mort, tromper les Prussiens ? Il entendit des voix au loin, dans le grand silence des neiges. Alors, il s'affola, et, ramassant le casque, il recoiffa sa victime, puis, l'empoignant par les reins, il l'enleva, courut, rattrapa son attelage et lança le corps sur le fumier. Une fois chez lui, il aviserait.

Il allait à petits pas, se creusant la cervelle, ne trouvant rien. Il se voyait, il se sentait perdu. Il rentra dans sa cour. Une lumière brillait à une lucarne, sa servante ne dormait pas encore ; alors il fit vivement reculer sa voiture jusqu'au bord du trou à l'engrais. Il songeait qu'en renversant la charge, le corps posé dessus tomberait dessous dans la fosse ; et il fit basculer le tombereau.

Comme il l'avait prévu, l'homme fut enseveli sous le fumier. Antoine aplanit le tas avec sa fourche, puis la planta dans la terre à côté. Il appela son valet, ordonna de mettre les chevaux à l'écurie ; et il rentra dans sa chambre.

Il se coucha, réfléchissant toujours à ce qu'il allait faire, mais aucune idée ne l'illuminait, son épouvante allait croissant dans l'immobilité du lit. On le fusillerait ! il suait de peur ; ses dents claquaient ; il se releva grelottant, ne pouvant plus tenir dans ses draps.

Alors il descendit à la cuisine, prit la bouteille de fine dans le buffet, et remonta. Il but deux grands verres de suite jetant une ivresse nouvelle par-dessus l'ancienne, sans calmer l'angoisse de son âme. Il avait fait là un joli coup, nom de Dieu d'imbécile !

Il marchait maintenant de long en large, cherchant des ruses, des explications et des malices ; et, de temps en temps, il se rinçait la bouche avec une gorgée de fil-en-dix pour se mettre du cœur au ventre.

Et il ne trouvait rien. Mais rien.

Vers minuit, son chien de garde, une sorte de demi-loup qu'il appelait « Dévorant », se mit à hurler à la mort. Le père Antoine frémit jusque dans les moelles ; et, chaque fois que la bête reprenait son gémissement lugubre et long, un frisson de peur courait sur la peau du vieux.

Il s'était abattu sur une chaise, les jambes cassées, hébété, n'en pouvant plus, attendant avec anxiété que « Dévorant » recommençât sa plainte, et secoué par tous les sursauts dont la terreur fait vibrer nos nerfs.

L'horloge d'en bas sonna cinq heures. Le chien ne se taisait pas. Le paysan devenait fou. Il se leva pour aller déchaîner la bête, pour ne plus l'entendre. Il descendit, ouvrit la porte, s'avança dans la nuit.

La neige tombait toujours. Tout était blanc. Les bâtiments de la ferme faisaient de grandes taches noires. L'homme s'approcha de la niche. Le chien tirait sur sa chaîne. Il le lâcha. Alors « Dévorant » fit un bond, puis s'arrêta net, le poil hérissé, les pattes tendues, les crocs au vent, le nez tourné vers le fumier.

Saint-Antoine, tremblant de la tête aux pieds, balbutia : « Qué qu' t'as donc, sale rosse ? » et il avança de quelques pas, fouillant de l'œil l'ombre indécise, l'ombre terne de la cour.

Alors, il vit une forme, une forme d'homme assis sur son fumier !

Il regardait cela, perclus d'horreur et haletant. Mais, soudain, il aperçut auprès de lui le manche de sa fourche piquée dans la terre ; il l'arracha du sol ; et, dans un de ces transports de peur qui rendent téméraires les plus lâches, il se rua en avant, pour voir.

C'était lui, son Prussien, sorti fangeux de sa couche d'ordure qui l'avait réchauffé, ranimé. Il s'était assis machinalement, et il restait là, sous la neige qui le poudrait, souillé de saleté et de sang, encore hébété par l'ivresse, étourdi par le coup, épuisé par sa blessure.

*Ci-dessus, "La Normandie pittoresque", affiche.
Ci-contre, portrait de Maupassant ; ce dernier, né près de Fécamp, s'est toujours senti exilé à Paris...*

Maupassant est un homme de terroir, son inspiration se nourrit de sa terre natale.

ŒUVRES COMPLÈTES ILLUSTRÉES DE
GUY DE MAUPASSANT
Contes de la Bécasse
Dessins de
LUCIEN BARBUT
Gravés sur bois par
G. LEMOINE
Reproduction en noir
de la couverture en couleurs
des Contes de la Bécasse.
Un volume grand in-16 jésus. — Prix : 3 fr. 50

A droite, page de couverture des "Contes de la bécasse", publiés au début du siècle. Ci-dessous, à la même époque, Étretat, la plage et les falaises d'Aval. Maupassant y acheta une maison, "la Guillette", et y fit de fréquents séjours.

Maupassant aime autant la Normandie de l'intérieur que celle de la côte : il vécut à Étretat.

Étiquette de vin ; dessin de F. Berillat.

LA SENSUALITÉ DE MAUPASSANT

"Le cidre jaune luisait, joyeux [...], à côté du vin coloré, du vin sombre, couleur de sang" (p. 67).

Maupassant sait être bon vivant et goûter tous les plaisirs, dont ceux de la bonne chère.

Scènes typiques de chasse, par Grenier (XIXe siècle) : en haut, "Le Départ des chasseurs"; ci-dessous, "Chasse dans le marais"; à droite, "Une agréable partie de chasse".

Maupassant était un chasseur acharné, comme M. Hector ou le baron des Ravots.

Une partie de chasse comporte son rituel, ses rapports de compagnonnage, ses exploits ; elle alimente, à la veillée, de longues hâbleries de chasseurs. Elle est brutale et, en même temps, demande de la subtilité, en particulier pour la bécasse, considérée généralement comme la "reine des gibiers".

CHASSE
À LA BÉCASSE

"Ma chère amie, vous me demandez pourquoi je ne rentre pas à Paris ; [...] est-ce qu'un chasseur rentre à Paris au moment du passage des bécasses ?" (p. 181).

À la chasse comme dans la vie, on trouve victime et bourreau, chasseur et proie.

REPAS ET FÊTES

"Notre table est mise tout contre la haute cheminée où tourne et cuit, devant la flamme claire, un gros poulet dont le jus coule dans un plat en terre. La fermière alors nous salue, une grande femme muette..." (p. 184).

A gauche, costum
Saint-Valéry-en-Caux, du d
du siècle : dans "F
normande", Maupassant mentio
les vastes châles éclat
des invitées de la n
Ci-dessous, repas d
la cour d'une fer
les femmes portent une c
encore différ

Le Normand, naturellement secret, sait aussi, à l'occasion, boire et rire en société.

La riche maison cauchoise, dont les fenêtres donnent sur la cour, non sur l'extérieur, est traditionnellement entourée d'un herbage planté de pommiers, au XIXe siècle ; elle comprend en outre une mare, de nombreuses dépendances, et elle est fermée à l'étranger par une barrière et un "fossé" (en fait, un talus !) planté d'arbres.

Les paysans de Maupassant, loin d'être folkloriques, sont de chair et de sang...

"Le Port de Rouen en 1878", vu de la rive gauche....

Rouen, c'est l'ancrage de Maupassant, la ville du Maître, Flaubert, le cadre de plusieurs contes...

... avec la grande flèche de la cathédrale (T. Ancilotti).

... Ainsi, “Un Normand” déroule le paysage grandiose contemplé depuis Canteleu.

Les différentes étapes de la fabrication du cidre (image didactique, tout début du siècle). Les diverses opérations sont manuelles, comme de nos jours.

Maupassant revendique ses origines terriennes ; du Normand, il a les caractéristiques : ...

MAUPASSANT,
PAYSAN CAUCHOIS

"Les d'Orgemol sont deux Normands timbrés au meilleur titre [...]. Quand nous sommes ensemble, nous parlons patois, nous vivons, pensons, agissons en Normands, nous devenons des Normands terriens plus paysans que nos fermiers" (p. 182).

Quand les images folkloriques, qui tiennent du chromo, rejoignent le réel : un paysan normand, avec la longue vareuse, admire son pommier... que l'on retrouve, en fleur , sur la photo ci-dessous.

... solidité, réalisme, goût de l'argent. Sa peinture des paysans révèle une profonde connaissance de ceux-ci.

INCERTAIN BONHEUR...

“Je repris en badinant: ‘Voyons, Mademoiselle, avouez qu’il était excusable, car, enfin, on ne peut pas se trouver en face d’une aussi belle personne que vous sans éprouver le désir absolument légitime de l’embrasser’” (p. 29).

Ci-dessous et à droite, le film “Partie de campagne”, de Jean Renoir (1936), d’après le conte de Maupassant du même titre, avec S. Bataille, J. Marken, Gabriello...

A gauche : garde-chasse et chasseurs sur le terrain (scène extraite de “La Règle du Je

---

L’univers de Jean Renoir rejoint la sensualité des contes “Amour” ou “Les Bécasses”...

Affiche du film "La Règle du Jeu" (1939) de Jean Renoir, avec J. Renoir, M. Dalio, M. Parely, R. Toutain, N. Gregor, J. Carette... où le jeu – la chasse – dégénère en drame.

... et illustre la cruauté des rapports humains, par la même métaphore de la chasse.

Quelques "figures" paysannes – dignes de Maupassant – tirées du film de J. Becker: "Goupi Mains Rouges" (1942), avec F. Ledoux, R. Le Vigan, B. Brunoy...

FIGURE DE CHASSEUR

"Il n'avait eu, toute sa vie, qu'une inapaisable passion: la chasse. Il chassait tous les jours, du matin au soir, avec un emportement furieux. Il chassait hiver comme été, au printemps comme à l'automne..." (p. 163).

Le film de Becker, cruel comme du Maupassant, montre une véritable "battue à l'homme..."

A droite et ci-dessous, à gauche, deux scènes du téléfilm "Hautot père et fils", de C. Santelli, directement inspiré de la nouvelle de Maupassant. La "petite qui a été gentille tout plein" pour le père Hautot est interprétée par Laure Duthilleul.

Ci-dessous, "La Terreur des Dames", une "adaptation" – médiocre – de "Ce cochon de Morin", due à G. Lacombe (1932), qui se garda bien de toute référence à Maupassant !

On peut penser que l'univers de Maupassant est particulièrement adaptable pour le petit écran.

Discussion paisible entre Hautot père et fils dans le téléfilm de C. Santelli. Les rapports père/fils de ce type sont plutôt rares chez Maupassant.

CRÉDITS PHOTOGRAPHIQUES

P. 1. : Josse ; Roger-Viollet. P. 2 : Roger-Viollet ; J.-L. Charmet. P. 3 : dessin de F. Berillat, 1984 D.R. P. 4 : lithographies de Grenier, Gien/Josse. P. 5 : lithographie de Grenier, Gien/Josse ; Roger-Viollet. P. 6 : Roger-Viollet. P. 7 : Lorne/Explorer ; Roger-Viollet. Pp. 8 et 9 : "Le Port de Rouen en 1878" par T. Ancilotti, Rouen/Josse. P. 10 : J.-L. Charmet. P. 11 : Roux/Explorer ; Roger-Viollet. Pp. 12, 13 et 14 : Prod/DB. P. 15 : Kipa ; Prod/DB. P. 16 : Kipa. 4e de couverture : "Nature morte, figues et prunes" par F. Desportes, Paris, musée des Arts décoratifs/Josse.

Il aperçut Antoine, et, trop abruti pour rien comprendre, il fit un mouvement afin de se lever. Mais le vieux, dès qu'il l'eut reconnu, écuma ainsi qu'une bête enragée.

Il bredouillait : « Ah ! cochon ! cochon ! t'es pas mort ! Tu vas me dénoncer, à c't'heure... Attends... attends ! »

Et, s'élançant sur l'Allemand, il jeta en avant de toute la vigueur de ses deux bras sa fourche levée comme une lance, et il lui enfonça jusqu'au manche les quatre pointes de fer dans la poitrine.

Le soldat se renversa sur le dos en poussant un long soupir de mort, tandis que le vieux paysan, retirant son arme des plaies, la replongeait coup sur coup dans le ventre, dans l'estomac, dans la gorge, frappant comme un forcené, trouant de la tête aux pieds le corps palpitant dont le sang fuyait par gros bouillons.

Puis il s'arrêta, essoufflé de la violence de sa besogne, aspirant l'air à grandes gorgées, apaisé par le meurtre accompli.

Alors, comme les coqs chantaient dans les poulaillers et comme le jour allait poindre, il se mit à l'œuvre pour ensevelir l'homme.

Il creusa un trou dans le fumier, trouva la terre, fouilla plus bas encore, travaillant d'une façon désordonnée dans un emportement de force avec des mouvements furieux des bras et de tout le corps.

Lorsque la tranchée fut assez creuse, il roula le cadavre dedans, avec la fourche, rejeta la terre dessus, la piétina longtemps, remit en place le fumier, et il sourit en voyant la neige épaisse qui complétait sa besogne, et couvrait les traces de son voile blanc.

Puis il repiqua sa fourche sur le tas d'ordure et rentra chez lui. Sa bouteille encore à moitié pleine d'eau-de-vie était restée sur une table. Il la vida d'une haleine, se jeta sur son lit, et s'endormit profondément.

Il se réveilla dégrisé, l'esprit calme et dispos, capable de juger le cas et de prévoir l'événement.

Au bout d'une heure il courait le pays en demandant

partout des nouvelles de son soldat. Il alla trouver les officiers, pour savoir, disait-il, pourquoi on lui avait repris son homme.

Comme on connaissait leur liaison, on ne le soupçonna pas ; et il dirigea même les recherches en affirmant que le Prussien allait chaque soir courir le cotillon.

Un vieux gendarme en retraite, qui tenait une auberge dans un village voisin et qui avait une jolie fille, fut arrêté et fusillé.

L'AVENTURE DE WALTER SCHNAFFS [1]

À Robert Pinchon [2].

Depuis son entrée en France avec l'armée d'invasion, Walter Schnaffs se jugeait le plus malheureux des hommes. Il était gros, marchait avec peine, soufflait beaucoup et souffrait affreusement des pieds qu'il avait fort plats et fort gras. Il était en outre pacifique et bien veillant, nullement magnanime où sanguinaire, père de quatre enfants qu'il adorait et marié avec une jeune femme blonde, dont il regrettait désespérément chaque soir les tendresses, les petits soins et les baisers. Il aimait se lever tard et se coucher tôt, manger lentement de bonnes choses et boire de la bière dans les brasseries. Il songeait en outre que tout ce qui est doux dans l'existence disparaît avec la vie ; et il gardait au cœur une haine épouvantable, instinctive et raisonnée en même temps, pour les canons, les fusils, les revolvers et les sabres, mais surtout pour les baïonnettes, se sentant

1. Paru dans *Le Gaulois* du 11 avril 1883.
2. Robert Pinchon, un des amis les plus fidèles de Maupassant, devint bibliothécaire à Rouen ; Maupassant lui réclamait souvent des sujets de contes.

incapable de manœuvrer assez vivement cette arme rapide pour défendre son gros ventre.

Et, quand il se couchait sur la terre, la nuit venue, roulé dans son manteau à côté des camarades qui ronflaient, il pensait longuement aux siens laissés là-bas et aux dangers semés sur sa route : « S'il était tué, que deviendraient les petits ? Qui donc les nourrirait et les élèverait ? À l'heure même, ils n'étaient pas riches, malgré les dettes qu'il avait contractées en partant pour leur laisser quelque argent. » Et Walter Schnaffs pleurait quelquefois.

Au commencement des batailles il se sentait dans les jambes de telles faiblesses qu'il se serait laissé tomber, s'il n'avait songé que toute l'armée lui passerait sur le corps. Le sifflement des balles hérissait le poil sur sa peau.

Depuis des mois il vivait ainsi dans la terreur et dans l'angoisse.

Son corps d'armée s'avançait vers la Normandie ; et il fut un jour envoyé en reconnaissance avec un faible détachement qui devait simplement explorer une partie du pays et se replier ensuite. Tout semblait calme dans la campagne ; rien n'indiquait une résistance préparée.

Or, les Prussiens descendaient avec tranquillité dans une petite vallée que coupaient des ravins profonds quand une fusillade violente les arrêta net, jetant bas une vingtaine des leurs ; et une troupe de francs-tireurs, sortant brusquement d'un petit bois grand comme la main, s'élança en avant, la baïonnette au fusil.

Walter Schnaffs demeura d'abord immobile, tellement surpris et éperdu qu'il ne pensait même pas à fuir. Puis un désir fou de détaler le saisit ; mais il songea aussitôt qu'il courait comme une tortue en comparaison des maigres Français qui arrivaient en bondissant comme un troupeau de chèvres. Alors, apercevant à six pas devant lui un large fossé plein de broussailles couvertes de feuilles sèches, il y sauta à pieds joints, sans songer même à la profondeur, comme on saute d'un pont dans une rivière.

Il passa, à la façon d'une flèche, à travers une couche épaisse de lianes et de ronces aiguës qui lui déchirèrent la face et les mains, et il tomba lourdement assis sur un lit de pierres.

Levant aussitôt les yeux, il vit le ciel par le trou qu'il avait fait. Ce trou révélateur le pouvait dénoncer, et il se traîna avec précaution, à quatre pattes, au fond de cette ornière, sous le toit de branchages enlacés, allant le plus vite possible, en s'éloignant du lieu du combat. Puis il s'arrêta et s'assit de nouveau, tapi comme un lièvre au milieu des hautes herbes sèches.

Il entendit pendant quelque temps encore des détonations, des cris et des plaintes. Puis les clameurs de la lutte s'affaiblirent, cessèrent. Tout redevint muet et calme.

Soudain quelque chose remua contre lui. Il eut un sursaut épouvantable. C'était un petit oiseau qui, s'étant posé sur une branche, agitait des feuilles mortes. Pendant près d'une heure, le cœur de Walter Schnaffs en battit à grands coups pressés.

La nuit venait, emplissant d'ombre le ravin. Et le soldat se mit à songer. Qu'allait-il faire ? Qu'allait-il devenir ? Rejoindre son armée ?... Mais comment ? Mais par où ? Et il lui faudrait recommencer l'horrible vie d'angoisses, d'épouvantes, de fatigues et de souffrances qu'il menait depuis le commencement de la guerre ! Non ! Il ne se sentait plus ce courage ! Il n'aurait plus l'énergie qu'il fallait pour supporter les marches et affronter les dangers de toutes les minutes.

Mais que faire ? Il ne pouvait rester dans ce ravin et s'y cacher jusqu'à la fin des hostilités. Non, certes. S'il n'avait pas fallu manger, cette perspective ne l'aurait pas trop atterré ; mais il fallait manger, manger tous les jours.

Et il se trouvait ainsi tout seul, en armes, en uniforme, sur le territoire ennemi, loin de ceux qui le pouvaient défendre. Des frissons lui couraient sur la peau.

Soudain il pensa : « Si seulement j'étais prisonnier ! » et son cœur frémit de désir, d'un désir violent, immodéré, d'être prisonnier des Français. Prisonnier ! Il serait sauvé, nourri, logé, à l'abri des balles et des sabres, sans appréhension possible, dans une bonne prison bien gardée. Prisonnier ! Quel rêve !

Et sa résolution fut prise immédiatement :

« Je vais me constituer prisonnier. »

Il se leva, résolu à exécuter ce projet sans tarder d'une minute. Mais il demeura immobile, assailli soudain par des réflexions fâcheuses et par des terreurs nouvelles.

Où allait-il se constituer prisonnier ? Comment ? De quel côté ? Et des images affreuses, des images de mort, se précipitèrent dans son âme.

Il allait courir des dangers terribles en s'aventurant seul avec son casque à pointe, par la campagne.

S'il rencontrait des paysans ? Ces paysans, voyant un Prussien perdu, un Prussien sans défense, le tueraient comme un chien errant ! Ils le massacreraient avec leurs fourches, leurs pioches, leurs faux, leurs pelles ! Ils en feraient une bouillie, une pâtée, avec l'acharnement des vaincus exaspérés.

S'il rencontrait des francs-tireurs ? Ces francs-tireurs, des enragés sans loi ni discipline, le fusilleraient pour s'amuser, pour passer une heure, histoire de rire en voyant sa tête. Et il se croyait déjà appuyé contre un mur en face de douze canons de fusils, dont les petits trous ronds et noirs semblaient le regarder.

S'il rencontrait l'armée française elle-même ? Les hommes d'avant-garde le prendraient pour un éclaireur, pour quelque hardi et malin troupier parti seul en reconnaissance, et ils lui tireraient dessus. Et il entendait déjà les détonations irrégulières des soldats couchés dans les broussailles, tandis que lui, debout au milieu d'un champ, s'affaissait, troué comme une écumoire par les balles qu'il sentait entrer dans sa chair.

Il se rassit, désespéré. Sa situation lui paraissait sans issue.

La nuit était tout à fait venue, la nuit muette et noire. Il ne bougeait plus, tressaillant à tous les bruits inconnus et légers qui passent dans les ténèbres. Un lapin, tapant du cul au bord d'un terrier, faillit faire s'enfuir Walter Schnaffs. Les cris des chouettes lui déchiraient l'âme, le traversant de peurs soudaines, douloureuses comme des blessures. Il écarquillait ses gros yeux pour tâcher de voir dans l'ombre ; et il s'imaginait à tout moment entendre marcher près de lui.

Après d'interminables heures et des angoisses de damné, il aperçut, à travers son plafond de branchages, le ciel qui devenait clair. Alors un soulagement immense le pénétra ; ses membres se détendirent, reposés soudain ; son cœur s'apaisa ; ses yeux se fermèrent. Il s'endormit.

Quand il se réveilla, le soleil lui parut arrivé à peu près au milieu du ciel ; il devait être midi. Aucun bruit ne troublait la paix morne des champs ; et Walter Schnaffs s'aperçut qu'il était atteint d'une faim aiguë.

Il bâillait, la bouche humide à la pensée du saucisson, du bon saucisson des soldats ; et son estomac lui faisait mal.

Il se leva, fit quelques pas, sentit que ses jambes étaient faibles, et se rassit pour réfléchir. Pendant deux ou trois heures encore, il établit le pour et le contre, changeant à tout moment de résolution, combattu, malheureux, tiraillé par les raisons les plus contraires.

Une idée lui parut enfin logique et pratique, c'était de guetter le passage d'un villageois seul, sans armes, et sans outils de travail dangereux, de courir au-devant de lui et de se remettre en ses mains en lui faisant bien comprendre qu'il se rendait.

Alors il ôta son casque, dont la pointe le pouvait trahir, et il sortit sa tête au bord de son trou, avec des précautions infinies.

Aucun être isolé ne se montrait à l'horizon. Là-bas, à droite, un petit village envoyait au ciel la fumée de ses toits, la fumée des cuisines ! Là-bas à gauche, il apercevait, au bout des arbres d'une avenue, un grand château flanqué de tourelles.

Il attendit ainsi jusqu'au soir, souffrant affreusement,

ne voyant rien que des vols de corbeaux, n'entendant rien que les plaintes sourdes de ses entrailles.

Et la nuit encore tomba sur lui.

Il s'allongea au fond de sa retraite et il s'endormit d'un sommeil fiévreux, hanté de cauchemars, d'un sommeil d'homme affamé.

L'aurore se leva de nouveau sur sa tête. Il se remit en observation. Mais la campagne restait vide comme la veille ; et une peur nouvelle entrait dans l'esprit de Walter Schnaffs, la peur de mourir de faim ! Il se voyait étendu au fond de son trou, sur le dos, les yeux fermés. Puis des bêtes, des petites bêtes de toute sorte s'approchaient de son cadavre et se mettaient à le manger, l'attaquant partout à la fois, se glissant sous ses vêtements pour mordre sa peau froide. Et un grand corbeau lui piquait les yeux de son bec effilé.

Alors, il devint fou, s'imaginant qu'il allait s'évanouir de faiblesse et ne plus pouvoir marcher. Et déjà, il s'apprêtait à s'élancer vers le village, résolu à tout oser, à tout braver, quand il aperçut trois paysans qui s'en allaient aux champs avec leurs fourches sur l'épaule, et il replongea dans sa cachette.

Mais, dès que le soir obscurcit la plaine, il sortit lentement du fossé, et se mit en route, courbé, craintif, le cœur battant, vers le château lointain, préférant entrer là-dedans plutôt qu'au village qui lui semblait redoutable comme une tanière pleine de tigres.

Les fenêtres d'en bas brillaient. Une d'elles était même ouverte ; et une forte odeur de viande cuite s'en échappait, une odeur qui pénétra brusquement dans le nez et jusqu'au fond du ventre de Walter Schnaffs ; qui le crispa, le fit haleter, l'attirant irrésistiblement, lui jetant au cœur une audace désespérée.

Et brusquement, sans réfléchir, il apparut, casqué, dans le cadre de la fenêtre.

Huit domestiques dînaient autour d'une grande table. Mais soudain une bonne demeura béante, laissant tomber son verre, les yeux fixes. Tous les regards suivirent le sien !

On aperçut l'ennemi !

Seigneur ! les Prussiens attaquaient le château !...

Ce fut d'abord un cri, un seul cri, fait de huit cris poussés sur huit tons différents, un cri d'épouvante horrible, puis une levée tumultueuse, une bousculade, une mêlée, une fuite éperdue vers la porte du fond. Les chaises tombaient, les hommes renversaient les femmes et passaient dessus. En deux secondes, la pièce fut vide, abandonnée, avec la table couverte de mangeaille en face de Walter Schnaffs stupéfait, toujours debout dans sa fenêtre.

Après quelques instants d'hésitation, il enjamba le mur d'appui et s'avança vers les assiettes. Sa faim exaspérée le faisait trembler comme un fiévreux : mais une terreur le retenait, le paralysait encore. Il écouta. Toute la maison semblait frémir ; des portes se fermaient, des pas rapides couraient sur le plancher du dessus. Le Prussien inquiet tendait l'oreille à ces confuses rumeurs ; puis il entendit des bruits sourds comme si des corps fussent tombés dans la terre molle, au pied des murs, des corps humains sautant du premier étage.

Puis tout mouvement, toute agitation cessèrent, et le grand château devint silencieux comme un tombeau.

Walter Schnaffs s'assit devant une assiette restée intacte, et il se mit à manger. Il mangeait par grandes bouchées comme s'il eût craint d'être interrompu trop tôt, de n'en pouvoir engloutir assez. Il jetait à deux mains les morceaux dans sa bouche ouverte comme une trappe ; et des paquets de nourriture lui descendaient coup sur coup dans l'estomac, gonflant sa gorge en passant. Parfois, il s'interrompait, prêt à crever à la façon d'un tuyau trop plein. Il prenait alors la cruche au cidre et se déblayait l'œsophage comme on lave un conduit bouché.

Il vida toutes les assiettes, tous les plats et toutes les bouteilles ; puis, saoul de liquide et de mangeaille, abruti, rouge, secoué par des hoquets, l'esprit troublé et la bouche grasse, il déboutonna son uniforme pour souffler, incapable d'ailleurs de faire un pas. Ses yeux se fermaient, ses idées s'engourdissaient ; il posa son front pesant dans ses bras croisés sur la table, et il perdit doucement la notion des choses et des faits.

Le dernier croissant éclairait vaguement l'horizon au-dessus des arbres du parc. C'était l'heure froide qui précède le jour.

Des ombres glissaient dans les fourrés, nombreuses et muettes ; et parfois, un rayon de lune faisait reluire dans l'ombre une pointe d'acier.

Le château tranquille dressait sa grande silhouette noire. Deux fenêtres seules brillaient encore au rez-de-chaussée.

Soudain, une voix tonnante hurla :

« En avant ! nom d'un nom ! à l'assaut ! mes enfants ! »

Alors, en un instant, les portes, les contrevents et les vitres s'enfoncèrent sous un flot d'hommes qui s'élança, brisa, creva tout, envahit la maison. En un instant cinquante soldats armés jusqu'aux cheveux, bondirent dans la cuisine où reposait pacifiquement Walter Schnaffs, et, lui posant sur la poitrine cinquante fusils chargés, le culbutèrent, le roulèrent, le saisirent, le lièrent des pieds à la tête.

Il haletait d'ahurissement, trop abruti pour comprendre, battu, crossé et fou de peur.

Et tout d'un coup, un gros militaire chamarré d'or lui planta son pied sur le ventre en vociférant :

« Vous êtes mon prisonnier, rendez-vous ! »

Le Prussien n'entendit que ce seul mot « prisonnier », et il gémit : « *ya, ya, ya* ».

Il fut relevé, ficelé sur une chaise, et examiné avec une vive curiosité par ses vainqueurs qui soufflaient comme des baleines. Plusieurs s'assirent, n'en pouvant plus d'émotion et de fatigue.

Il souriait, lui, il souriait maintenant, sûr d'être enfin prisonnier !

Un autre officier entra et prononça :

« Mon colonel, les ennemis se sont enfuis ; plusieurs semblent avoir été blessés. Nous restons maîtres de la place. »

Le gros militaire qui s'essuyait le front vociféra : « Victoire ! »

Et il écrivit sur un petit agenda de commerce tiré de sa poche :

« Après une lutte acharnée, les Prussiens ont dû battre en retraite, emportant leurs morts et leurs blessés, qu'on évalue à cinquante hommes hors de combat. Plusieurs sont restés entre nos mains. »

Le jeune officier reprit :

« Quelles dispositions dois-je prendre, mon colonel ? »

Le colonel répondit :

« Nous allons nous replier pour éviter un retour offensif avec de l'artillerie et des forces supérieures. »

Et il donna l'ordre de repartir.

La colonne se reforma dans l'ombre, sous les murs du château, et se mit en mouvement, enveloppant de partout Walter Schnaffs garrotté, tenu par six guerriers le revolver au poing.

Des reconnaissances furent envoyées pour éclairer la route. On avançait avec prudence, faisant halte de temps en temps.

Au jour levant, on arrivait à la sous-préfecture de La Roche-Oysel[1], dont la garde nationale[2] avait accompli ce fait d'armes.

La population anxieuse et surexcitée attendait. Quand on aperçut le casque du prisonnier, des clameurs formidables éclatèrent. Les femmes levaient les bras ; des vieilles pleuraient ; un aïeul lança sa béquille au Prussien et blessa le nez d'un de ses gardiens.

Le colonel hurlait.

1. Ce nom de lieu a été inventé par Maupassant, peut-être à partir de celui d'Oissel, près de Rouen.

2. Corps de citoyens qui exista de 1789 à 1871 ; armés pour le maintien de l'ordre, ils ne recevaient pas de solde.

« Veillez à la sûreté du captif. »

On parvint enfin à la maison de ville. La prison fut ouverte, et Walter Schnaffs jeté dedans, libre de liens.

Deux cents hommes en armes montèrent la garde autour du bâtiment.

Alors, malgré des symptômes d'indigestion qui le tourmentaient depuis quelque temps, le Prussien, fou de joie, se mit à danser, à danser éperdument, en levant les bras et les jambes, à danser en poussant des cris frénétiques, jusqu'au moment où il tomba, épuisé au pied d'un mur.

Il était prisonnier ! Sauvé !

C'est ainsi que le château de Champignet fut repris à l'ennemi après six heures seulement d'occupation.

Le colonel Ratier, marchand de drap, qui enleva cette affaire à la tête des gardes nationaux de La Roche-Oysel, fut décoré.

AUTRES CONTES
DE
CHASSEURS

LA ROCHE AUX GUILLEMOTS[1]

Voici la saison des guillemots.

D'avril à la fin de mai, avant que les baigneurs parisiens arrivent, on voit paraître soudain, sur la petite plage d'Étretat, quelques vieux messieurs bottés, sanglés en des vestes de chasse. Ils passent quatre ou cinq jours à l'hôtel Hauville, disparaissent, reviennent trois semaines plus tard ; puis, après un nouveau séjour, s'en vont définitivement.

On les revoit au printemps suivant.

Ce sont les derniers chasseurs de guillemots, ceux qui restent des anciens ; car ils étaient une vingtaine de fanatiques, il y a trente ou quarante ans ; ils ne sont plus que quelques enragés tireurs.

Le guillemot est un oiseau voyageur fort rare, dont les habitudes sont étranges. Il habite presque toute l'année les parages de Terre-Neuve, des îles Saint-Pierre et Miquelon ; mais, au moment des amours, une bande d'émigrants traverse l'Océan, et, tous les ans, vient pondre et couver au même endroit, à la roche dite *aux Guillemots*, près d'Étretat. On n'en trouve que là, rien que là. Ils y sont toujours venus, on les a toujours chassés, et ils reviennent encore ; ils reviendront toujours. Sitôt les petits élevés, ils repartent, disparaissent pour un an.

1. Paru dans *Le Gaulois* du 14 avril 1882.

Pourquoi ne vont-ils jamais ailleurs, ne choisissent-ils aucun autre point de cette longue falaise blanche et sans cesse pareille qui court du Pas-de-Calais au Havre ? Quelle force, quel instinct invincible, quelle habitude séculaire poussent ces oiseaux à revenir en ce lieu ? Quelle première émigration, quelle tempête peut-être a jadis jeté leurs pères sur cette roche ? Et pourquoi les fils, les petits-fils, tous les descendants des premiers y sont-ils toujours retournés ?

Ils ne sont pas nombreux : une centaine au plus, comme si une seule famille avait cette tradition, accomplissait ce pèlerinage annuel.

Et chaque printemps, dès que la petite tribu voyageuse s'est réinstallée sur sa roche, les mêmes chasseurs aussi reparaissent dans le village. On les a connus jeunes autrefois ; ils sont vieux aujourd'hui, mais fidèles au rendez-vous régulier qu'ils se sont donné depuis trente ou quarante ans.

Pour rien au monde, ils n'y manqueraient.

C'était par un soir d'avril de l'une des dernières années. Trois des anciens tireurs de guillemots venaient d'arriver ; un d'eux manquait, M. d'Arnelles.

Il n'avait écrit à personne, n'avait donné aucune nouvelle ! Pourtant il n'était point mort, comme tant d'autres ; on l'aurait su. Enfin, las d'attendre, les premiers venus se mirent à table ; et le dîner touchait à sa fin, quand une voiture roula dans la cour de l'hôtellerie ; et bientôt le retardataire entra.

Il s'assit, joyeux, se frottant les mains, mangea de grand appétit, et, comme un de ses compagnons s'étonnait qu'il fût en redingote, il répondit tranquillement :

« Oui, je n'ai pas eu le temps de me changer. »

On se coucha en sortant de table, car, pour surprendre les oiseaux, il faut partir bien avant le jour.

Rien de joli comme cette chasse, comme cette promenade matinale.

Dès trois heures du matin, les matelots réveillent les

chasseurs en jetant du sable dans les vitres. En quelques minutes on est prêt et on descend sur le perret [1]. Bien que le crépuscule ne se montre point encore, les étoiles sont un peu pâlies ; la mer fait grincer les galets ; la brise est si fraîche qu'on frissonne un peu, malgré les gros habits.

Bientôt les deux barques poussées par les hommes, dévalent brusquement sur la pente de cailloux ronds, avec un bruit de toile qu'on déchire ; puis elles se balancent sur les premières vagues. La voile brune monte au mât, se gonfle un peu, palpite, hésite et, bombée de nouveau, ronde comme un ventre, emporte les coques goudronnées vers la grande porte d'aval qu'on distingue vaguement dans l'ombre.

Le ciel s'éclaircit ; les ténèbres semblent fondre ; la côte paraît voilée encore, la grande côte blanche, droite comme une muraille.

On franchit la Manne-Porte, voûte énorme où passerait un navire ; on double la pointe de la Courtine ; voici le val d'Antifer, le cap du même nom ; et soudain on aperçoit une plage où des centaines de mouettes sont posées. Voici la roche aux Guillemots.

C'est tout simplement une petite bosse de la falaise ; et, sur les étroites corniches du roc, des têtes d'oiseaux se montrent, qui regardent les barques.

Ils sont là, immobiles, attendant, ne se risquant point à partir encore. Quelques-uns, piqués sur des rebords avancés, ont l'air assis sur leurs derrières, dressés en forme de bouteille, car ils ont des pattes si courtes qu'ils semblent, quand ils marchent, glisser comme des bêtes à roulettes ; et, pour s'envoler, ne pouvant prendre d'élan, il leur faut se laisser tomber comme des pierres, presque jusqu'aux hommes qui les guettent.

Ils connaissent leur infirmité et le danger qu'elle leur crée, et ne se décident pas à vite s'enfuir.

Mais les matelots se mettent à crier, battent leurs

1. Nom donné à la partie sud de la plage d'Étretat.

bordages avec les tolets[1] de bois, et les oiseaux, pris de peur, s'élancent un à un, dans le vide, précipités jusqu'au ras de la vague ; puis, les ailes battant à coups rapides, ils filent, filent et gagnent le large, quand une grêle de plombs ne les jette pas à l'eau.

Pendant une heure on les mitraille ainsi, les forçant à déguerpir l'un après l'autre ; et quelquefois les femelles au nid, acharnées à couver, ne s'en vont point, et reçoivent coup sur coup les décharges qui font jaillir sur la roche blanche des gouttelettes de sang rose, tandis que la bête expire sans avoir quitté ses œufs.

Le premier jour, M. d'Arnelles chassa avec son entrain habituel ; mais, quand on repartit vers dix heures, sous le haut soleil radieux, qui jetait de grands triangles de lumière dans les échancrures blanches de la côte, il se montra un peu soucieux, rêvant parfois, contre son habitude.

Dès qu'on fut de retour au pays, une sorte de domestique en noir vint lui parler bas. Il sembla réfléchir, hésiter, puis il répondit : « Non, demain. »

Et, le lendemain, la chasse recommença. M. d'Arnelles, cette fois, manqua souvent les bêtes, qui pourtant se laissaient choir presque au bout du canon de fusil ; et ses amis, riant, lui demandaient s'il était amoureux, si quelque trouble secret lui remuait le cœur et l'esprit.

À la fin, il en convint :

« Oui, vraiment, il faut que je parte tantôt, et cela me contrarie.

— Comment, vous partez ? Et pourquoi ?

— Oh ! j'ai une affaire qui m'appelle, je ne puis rester plus longtemps. »

Puis on parla d'autre chose.

Dès que le déjeuner fut terminé, le valet en noir reparut. M. d'Arnelles ordonna d'atteler ; et l'homme

1. Chevilles pour recevoir les avirons.

allait sortir quand les trois autres chasseurs intervinrent, insistèrent, priant et sollicitant pour retenir leur ami. L'un d'eux, à la fin demanda :

« Mais, voyons, elle n'est pas si grave, cette affaire, puisque vous avez bien attendu déjà deux jours ! »

Le chasseur tout à fait perplexe réfléchissait, visiblement combattu, tiré par le plaisir et une obligation, malheureux et troublé.

Après une longue méditation, il murmura, hésitant :

« C'est que... c'est que... je ne suis pas seul ici ; j'ai mon gendre. »

Ce furent des cris et des exclamations :

« Votre gendre ?... mais où est-il ? »

Alors, tout à coup, il sembla confus, et rougit.

« Comment ! vous ne savez pas ?... Mais... mais... il est sous la remise. Il est mort. »

Un silence de stupéfaction régna.

M. d'Arnelles reprit, de plus en plus troublé :

« J'ai eu le malheur de le perdre ; et, comme je conduisais le corps chez moi, à Briseville, j'ai fait un petit détour pour ne pas manquer notre rendez-vous. Mais, vous comprenez que je ne puis m'attarder plus longtemps. »

Alors, un des chasseurs, plus hardi :

« Cependant... puisqu'il est mort... il me semble... qu'il peut bien attendre un jour de plus. »

Les deux autres n'hésitèrent plus :

« C'est incontestable », dirent-ils.

M. d'Arnelles semblait soulagé d'un grand poids ; encore un peu inquiet pourtant, il demanda :

« Mais là... franchement... vous trouvez ?... »

Les trois autres, comme un seul homme, répondirent :

« Parbleu ! mon cher, deux jours de plus ou de moins n'y feront rien dans son état. »

Alors, tout à fait tranquille, le beau-père se retourna vers le croque-mort :

« Eh bien ! mon ami, ce sera pour après-demain. »

LA ROUILLE[1]

Il n'avait eu, toute sa vie, qu'une inapaisable passion : la chasse. Il chassait tous les jours, du matin au soir, avec un emportement furieux. Il chassait hiver comme été, au printemps comme à l'automne, au marais, quand les règlements interdisaient la plaine et les bois ; il chassait au tiré, à courre, au chien d'arrêt, au chien courant, à l'affût, au miroir, au furet. Il ne parlait que de chasse, rêvait chasse, répétait sans cesse : « Doit-on être malheureux quand on n'aime pas la chasse ! »

Il avait maintenant cinquante ans sonnés, se portait bien, restait vert, bien que chauve, un peu gros, mais vigoureux ; et il portait tout le dessous de la moustache rasé pour bien découvrir les lèvres et garder libre le tour de la bouche, afin de pouvoir sonner du cor plus facilement.

On ne le désignait dans la contrée que par son petit nom : M. Hector. Il s'appelait le baron Hector Gontran de Coutelier.

Il habitait, au milieu des bois, un petit manoir, dont il avait hérité ; et bien qu'il connût toute la noblesse du département et rencontrât tous ses représentants

1. Paru le 14 septembre 1882, dans *Gil Blas*, sous la signature de Maufrigneuse et sous un titre différent.

mâles dans les rendez-vous de chasse, il ne fréquentait assidûment qu'une famille : les Courville, des voisins aimables, alliés à sa race depuis des siècles.

Dans cette maison il était choyé, aimé, dorloté, et il disait : « Si je n'étais pas chasseur, je voudrais ne point vous quitter. » M. de Courville était son ami et son camarade depuis l'enfance. Gentilhomme agriculteur, il vivait tranquille avec sa femme, sa fille et son gendre, M. de Darnetot, qui ne faisait rien, sous prétexte d'études historiques.

Le baron de Coutelier allait souvent dîner chez ses amis, surtout pour leur raconter ses coups de fusil. Il avait de longues histoires de chiens et de furets dont il parlait comme de personnages marquants qu'il aurait beaucoup connus. Il dévoilait leurs pensées, leurs intentions, les analysait, les expliquait : « Quand Médor a vu que le râle le faisait courir ainsi, il s'est dit : "Attends, mon gaillard, nous allons rire." Alors, en me faisant signe de la tête d'aller me placer au coin du champ de trèfle, il s'est mis à quêter de biais, à grand bruit, en remuant les herbes pour pousser le gibier dans l'angle où il ne pourrait plus échapper. Tout est arrivé comme il l'avait prévu ; le râle, tout d'un coup, s'est trouvé sur la lisière. Impossible d'aller plus loin sans se découvrir. Il s'est dit : "Pincé, nom d'un chien !" et s'est tapi. Médor alors tomba en arrêt en me regardant ; je lui fais un signe, il force. — Brrrou — le râle s'envole — j'épaule — pan ! — il tombe ; et Médor, en le rapportant, remuait la queue pour me dire : "Est-il joué, ce tour-là, monsieur Hector ?" »

Courville, Darnetot et les deux femmes riaient follement de ces récits pittoresques où le baron mettait toute son âme. Il s'animait, remuait les bras, gesticulait de tout le corps ; et quand il disait la mort du gibier, il riait d'un rire formidable, et demandait toujours comme conclusion : « Est-elle bonne, celle-là ? »

Dès qu'on parlait d'autre chose, il n'écoutait plus et s'essayait tout seul à fredonner des fanfares. Aussi, dès qu'un instant de silence se faisait entre deux phrases, dans ces moments de brusques accalmies qui coupent la rumeur des paroles, on entendait tout à coup un air de chasse : « Ton ton, ton taine ton ton », que le baron poussait en gonflant les joues comme s'il eût tenu son cor.

Il n'avait jamais vécu que pour la chasse et vieillissait sans s'en douter ni s'en apercevoir. Brusquement, il eut une attaque de rhumatisme et resta deux mois au lit. Il faillit mourir de chagrin et d'ennui. Comme il n'avait pas de bonne, faisant préparer sa cuisine par un vieux serviteur, il n'obtenait ni cataplasmes chauds, ni petits soins, ni rien de ce qu'il faut aux souffrants. Son piqueur fut son garde-malade, et cet écuyer qui s'ennuyait au moins autant que son maître, dormait jour et nuit dans un fauteuil, pendant que le baron jurait et s'exaspérait entre ses draps.

Les dames de Courville venaient parfois le voir ; et c'étaient pour lui des heures de calme et de bien-être. Elles préparaient sa tisane, avaient soin du feu, lui servaient gentiment son déjeuner, sur le bord du lit ; et quand elles partaient il murmurait : « Sacrebleu ! vous devriez bien venir loger ici. » Et elles riaient de tout leur cœur.

Comme il allait mieux et recommençait à chasser au marais, il vint un soir dîner chez ses amis ; mais il n'avait plus son entrain ni sa gaieté. Une pensée incessante le torturait, la crainte d'être ressaisi par les douleurs avant l'ouverture. Au moment de prendre congé, alors que les femmes l'enveloppaient en un châle, lui nouaient un foulard au cou, et qu'il se laissait faire pour la première fois de sa vie, il murmura d'un ton désolé : « Si ça recommence, je suis un homme foutu. »

Lorsqu'il fut parti, Mme de Darnetot dit à sa mère : « Il faudrait marier le baron. »

Tout le monde leva les bras. Comment n'y avait-on pas encore songé ? On chercha toute la soirée parmi les veuves qu'on connaissait, et le choix s'arrêta sur une femme de quarante ans, encore jolie, assez riche, de belle humeur et bien portante, qui s'appelait Mme Berthe Vilers.

On l'invita à passer un mois au château. Elle s'ennuyait. Elle vint. Elle était remuante et gaie ; M. de Coutelier lui plut tout de suite. Elle s'en amusait comme d'un jouet vivant et passait des heures entières à l'interroger sournoisement sur les sentiments des lapins et les machinations des renards. Il distinguait gravement les manières de voir différentes des divers animaux, et leur prêtait des plans et des raisonnements subtils comme aux hommes de sa connaissance.

L'attention qu'elle lui donnait le ravit ; et, un soir, pour lui témoigner son estime, il la pria de chasser, ce qu'il n'avait encore jamais fait pour aucune femme. L'invitation parut si drôle qu'elle accepta. Ce fut une fête pour l'équiper ; tout le monde s'y mit, lui offrit quelque chose ; et elle apparut vêtue en manière d'amazone, avec des bottes, des culottes d'homme, une jupe courte, une jaquette de velours trop étroite pour la gorge, et une casquette de valet de chiens.

Le baron semblait ému comme s'il allait tirer son premier coup de fusil. Il lui expliqua minutieusement la direction du vent, les différents arrêts des chiens, la façon de tirer les gibiers ; puis il la poussa dans un champ, en la suivant pas à pas, avec la sollicitude d'une nourrice qui regarde son nourrisson marcher pour la première fois.

Médor rencontra, rampa, s'arrêta, leva la patte. Le baron, derrière son élève, tremblait comme une feuille. Il balbutiait : « Attention, attention, des per... des per... des perdrix. »

Il n'avait pas fini qu'un grand bruit s'envola de terre, — brrr, brrr, brrr — et un régiment de gros oiseaux monta dans l'air en battant des ailes.

Mme Vilers, éperdue, ferma les yeux, lâcha les deux coups, recula d'un pas sous la secousse du fusil ; puis, quand elle reprit son sang-froid, elle aperçut le baron qui dansait comme un fou, et Médor rapportant deux perdrix dans sa gueule.

À dater de ce jour, M. de Coutelier fut amoureux d'elle.

Il disait en levant les yeux : « Quelle femme ! » et il venait tous les soirs maintenant pour causer chasse. Un jour, M. de Courville, qui le reconduisait et l'écoutait s'extasier sur sa nouvelle amie, lui demanda brusquement : « Pourquoi ne l'épousez-vous pas ? » Le baron resta saisi : « Moi ? moi ? l'épouser !... mais... au fait... » Et il se tut. Puis serrant précipitamment la main de son compagnon, il murmura : « Au revoir, mon ami », et disparut à grands pas dans la nuit.

Il fut trois jours sans revenir. Quand il reparut, il était pâli par ses réflexions, et plus grave que de coutume. Ayant pris à part M. de Courville : « Vous avez eu là une fameuse idée. Tâchez de la préparer à m'accepter. Sacrebleu, une femme comme ça, on la dirait faite pour moi. Nous chasserons ensemble toute l'année. »

M. de Courville, certain qu'il ne serait pas refusé, répondit : « Faites votre demande tout de suite, mon cher. Voulez-vous que je m'en charge ? » Mais le baron se troubla soudain ; et balbutiant : « Non... non... il faut d'abord que je fasse un petit voyage... un petit voyage... à Paris. Dès que je serai revenu, je vous répondrai définitivement. » On n'en put obtenir d'autres éclaircissements, et il partit le lendemain.

Le voyage dura longtemps. Une semaine, deux semaines, trois semaines se passèrent, M. de Coutelier ne reparaissait pas. Les Courville, étonnés, inquiets, ne savaient que dire à leur amie qu'ils avaient prévenue de la démarche du baron. On envoyait tous les deux jours prendre chez lui de ses nouvelles ; aucun de ses serviteurs n'en avait reçu.

Or, un soir, comme Mme Vilers chantait en s'accompagnant au piano, une bonne vint, avec un grand mystère, chercher M. de Courville, en lui disant tout bas qu'un monsieur le demandait. C'était le baron, changé, vieilli, en costume de voyage. Dès qu'il vit son vieil ami, il lui saisit les mains, et, d'une voix un peu fatiguée : « J'arrive à l'instant, mon cher, et j'accours chez vous, je n'en puis plus. » Puis il hésita, visiblement embarrassé : « Je voulais vous dire... tout de suite... que cette... cette affaire... vous savez bien... est manquée. »

M. de Courville le regardait stupéfait. « Comment ? manquée ? Et pourquoi ? — Oh ! ne m'interrogez pas, je vous prie, ce serait trop pénible à dire, mais soyez sûr que j'agis en... en honnête homme. Je ne peux pas... Je n'ai pas le droit, vous entendez, pas le droit, d'épouser cette dame. J'attendrai qu'elle soit partie pour revenir chez vous ; il me serait trop douloureux de la revoir. Adieu. »

Et il s'enfuit.

Toute la famille délibéra, discuta, supposa mille choses. On conclut qu'un grand mystère était caché dans la vie du baron, qu'il avait peut-être des enfants naturels, une vieille liaison. Enfin l'affaire paraissait grave ; et pour ne point entrer en des complications difficiles, on prévint habilement Mme Vilers, qui s'en retourna veuve comme elle était venue.

Trois mois encore se passèrent. Un soir, comme il avait fortement dîné et qu'il titubait un peu, M. de Coutelier, en fumant sa pipe le soir avec M. de Courville, lui dit : « Si vous saviez comme je pense souvent à votre amie, vous auriez pitié de moi. »

L'autre, que la conduite du baron en cette circonstance avait un peu froissé, lui dit sa pensée vivement : « Sacrebleu, mon cher, quand on a des secrets dans son existence, on ne s'avance pas d'abord comme vous l'avez fait ; car, enfin, vous pouviez prévoir le motif de votre reculade, assurément. »

Le baron confus cessa de fumer.

« Oui et non. Enfin, je n'aurais pas cru ce qui est arrivé. »

M. de Courville, impatienté, reprit : « On doit tout prévoir. »

Mais M. de Coutelier, en sondant de l'œil les ténèbres pour être sûr qu'on ne les écoutait pas, reprit à voix basse :

« Je vois bien que je vous ai blessé et je vais tout vous dire pour me faire excuser. Depuis vingt ans, mon ami, je ne vis que pour la chasse. Je n'aime que ça, vous le savez, je ne m'occupe que de ça. Aussi, au moment de contracter des devoirs envers cette dame, un scrupule, un scrupule de conscience m'est venu. Depuis le temps que j'ai perdu l'habitude de... de... de l'amour, enfin, je ne savais plus si je serais encore capable de... de..., vous savez bien... Songez donc ? voici maintenant seize ans exactement que... que... que... pour la dernière fois, vous comprenez. Dans ce pays-ci, ce n'est pas facile de... de... vous y êtes. Et puis j'avais autre chose à faire. J'aime mieux tirer un coup de fusil. Bref, au moment de m'engager devant le maire et le prêtre à... à... ce que vous savez, j'ai eu peur. Je me suis dit : Bigre, mais si... si... j'allais rater. Un honnête homme ne manque jamais à ses engagements ; et je prenais là un engagement sacré vis-à-vis de cette personne. Enfin, pour en avoir le cœur net, je me suis promis d'aller passer huit jours à Paris.

« Au bout de huit jours, rien, mais rien. Et ce n'est pas faute d'avoir essayé. J'ai pris ce qu'il y avait de mieux dans tous les genres. Je vous assure qu'elles ont fait ce qu'elles ont pu... Oui... certainement, elles n'ont rien négligé... Mais que voulez-vous ? elles se retiraient toujours... bredouilles... bredouilles... bredouilles.

« J'ai attendu alors quinze jours, trois semaines, espérant toujours. J'ai mangé dans les restaurants un tas de choses poivrées, qui m'ont perdu l'estomac et... et... rien... toujours rien.

« Vous comprenez que, dans ces circonstances, devant cette constatation, je ne pouvais que... que... que me retirer. Ce que j'ai fait. »

M. de Courville se tordait pour ne pas rire. Il serra

gravement les mains du baron en lui disant : « Je vous plains », et le reconduisit jusqu'à mi-chemin de sa demeure. Puis, lorsqu'il se trouva seul avec sa femme, il lui dit tout, en suffoquant de gaieté. Mais Mme de Courville ne riait point ; elle écoutait, très attentive, et lorsque son mari eut achevé, elle répondit avec un grand sérieux : « Le baron est un niais, mon cher ; il avait peur, voilà tout. Je vais écrire à Berthe de revenir, et bien vite. »

Et comme M. de Courville objectait le long et inutile essai de leur ami, elle reprit : « Bah ! quand on aime sa femme, entendez-vous, cette chose-là... revient toujours. »

Et M. de Courville ne répliqua rien, un peu confus lui-même.

LE GARDE[1]

On racontait des aventures et des accidents de chasse, après dîner.

Un vieil ami de nous tous, M. Boniface, grand tueur de bêtes et grand buveur de vin, un homme robuste et gai, plein d'esprit, de sens et de philosophie, d'une philosophie ironique et résignée, se manifestant par des drôleries mordantes et jamais par des tristesses, dit tout à coup :

« J'en sais une, moi, une histoire de chasse, ou plutôt un drame de chasse assez singulier. Il ne ressemble pas du tout à ce qu'on connaît dans le genre ; aussi je ne l'ai jamais raconté, pensant qu'il n'amuserait personne.

« Il n'est pas sympathique, vous me comprenez ? Je veux dire qu'il n'a pas cette espèce d'intérêt qui passionne, ou qui charme, ou qui émeut agréablement.

« Enfin, voici la chose. »

J'avais alors trente-cinq ans environ, et je chassais comme un furieux.

En ce temps-là, je possédais une terre très isolée dans les environs de Jumièges, entourée de forêts et très

1. Première parution : *Le Gaulois*, 8 octobre 1884.

bonne pour le lièvre et le lapin. J'y allais passer tout seul quatre ou cinq jours par an seulement, l'installation ne me permettant pas d'amener un ami.

J'avais placé là, comme garde, un ancien gendarme en retraite, un brave homme, violent, sévère sur la consigne, terrible aux braconniers, et ne craignant rien. Il habitait tout seul, loin du village, une petite maison ou plutôt une masure composée de deux pièces en bas, cuisine et cellier, et de deux chambres au premier. Une d'elles, une sorte de case juste assez grande pour un lit, une armoire et une chaise, m'étant réservée.

Le père Cavalier occupait l'autre. En disant qu'il était seul en ce logis, je me suis mal exprimé. Il avait pris avec lui son neveu, une sorte de chenapan de quatorze ans qui allait aux provisions au village éloigné de trois kilomètres, et aidait le vieux dans les besognes quotidiennes.

Ce garnement, maigre, long, un peu crochu, avait des cheveux jaunes si légers qu'ils semblaient un duvet de poule plumée, si rares qu'il avait l'air chauve. Il possédait en outre des pieds énormes et des mains géantes, des mains de colosse.

Il louchait un peu et ne regardait jamais personne. Dans la race humaine, il me faisait l'effet de ce que sont les bêtes puantes chez les animaux. C'était un putois ou un renard, ce galopin-là.

Il couchait dans une sorte de trou au haut du petit escalier qui menait aux deux chambres.

Mais, pendant mes courts séjours au *Pavillon* — j'appelais cette masure le *Pavillon* — Marius cédait sa niche à une vieille femme d'Écorcheville[1], nommée Céleste, qui venait me faire la cuisine, les ratas du père Cavalier étant par trop insuffisants.

Chenapan = rogue - garnement = scamp.
Putois = Polecat.

1. Il n'existe pas de localité de ce nom, près de Jumièges et de Rouen.

Vous connaissez donc les personnages et le local. Voici maintenant l'aventure :

C'était en 1854, le 15 octobre — je me rappelle cette date et je ne l'oublierai jamais.

Je partis de Rouen à cheval, suivi de mon chien Bock, un grand braque du Poitou, large de poitrine et fort de gueule, qui buissonnait dans les ronces comme un épagneul de Pont-Audemer.

Je portais en croupe mon sac de voyage, et mon fusil en bandoulière. C'était un jour froid, un jour de grand vent triste, avec des nuages sombres courant dans le ciel.

En montant la côte de Canteleu [1], je regardais la vaste vallée de la Seine que le fleuve traversait jusqu'à l'horizon avec des replis de serpent. Rouen, à gauche, dressait dans le ciel tous ses clochers et, à droite, la vue s'arrêtait sur les côtes lointaines couvertes de bois. Puis je traversai la forêt de Roumare [1], allant tantôt au pas, tantôt au trot, et j'arrivai vers cinq heures, devant le Pavillon, où le père Cavalier et Céleste m'attendaient.

Depuis dix ans, à la même époque, je me présentais de la même façon, et les mêmes bouches me saluaient avec les mêmes paroles.

« Bonjour, notre monsieur. La santé est-elle satisfaisante ? »

Cavalier n'avait guère changé. Il résistait au temps comme un vieil arbre ; mais Céleste, depuis quatre ans surtout, était devenue méconnaissable.

Elle s'était à peu près cassée en deux et, bien que toujours active, elle marchait le haut du corps tellement penché en avant qu'il formait presque un angle droit avec les jambes.

La vieille femme, très dévouée, paraissait toujours émue en me revoyant, et elle me disait, à chaque départ :

1. Jumièges, Canteleu, la forêt de Roumare : tous lieux familiers à Maupassant (cf. *Un Normand*).

« Faut penser que c'est p't-être la dernière fois, notre cher monsieur. »

Et l'adieu désolé, craintif, de cette pauvre servante, cette résignation désespérée devant l'inévitable mort sûrement prochaine pour elle, me remuait le cœur chaque année, d'une étrange façon.

Je descendis donc de cheval, et pendant que Cavalier, dont j'avais serré la main, menait ma bête au petit bâtiment qui servait d'écurie, j'entrai, suivi de Céleste, dans la cuisine, qui servait aussi de salle à manger.

Puis le garde nous rejoignit. Je vis, du premier coup, qu'il n'avait pas sa figure ordinaire. Il semblait préoccupé, mal à l'aise, inquiet.

Je lui dis :

« Eh bien, Cavalier. Tout marche-t-il selon votre désir ? »

Il murmura :

« Y a du oui et y a du non. Y a bien de quoi qui ne me va guère. »

Je demandai :

« Qu'est-ce que c'est donc, mon brave ? Contez-moi ça. »

Mais il hochait la tête :

« Non, pas encore, monsieur. Je ne veux point vous éluger [1] comme ça à l'arrivée, avec mes tracasseries. »

J'insistai ; mais il refusa absolument de me mettre au courant avant le dîner. À sa tête, cependant, je comprenais que c'était grave.

Ne sachant plus quoi lui dire, je prononçai :

« Et ce gibier ? En avons-nous ?

— Oh ! pour du gibier, oui, y en a, y en a ! Vous en trouverez à volonté. Grâce à Dieu, j'ai eu l'œil. »

Il disait cela avec tant de gravité, avec une gravité si désolée qu'elle devenait comique. Ses grosses moustaches grises avaient l'air prêtes à tomber de ses lèvres.

1. Patois normand : ennuyer, tracasser.

Tout à coup, je m'avisai que je n'avais pas encore vu son neveu.

« Et Marius ? où est-il donc ? Pourquoi ne se montre-t-il pas ? »

Le garde eut une sorte de sursaut et, me regardant brusquement en face :

« Eh bien, monsieur, j'aime mieux vous dire la chose tout de suite ; oui, j'aime mieux : c'est rapport à lui que j'en ai sur le cœur.

— Ah ! ah ! Eh bien, où est-il donc ?

— Il est dans l'écurie, monsieur, j'attendais le moment pour qu'il paraisse.

— Qu'est-ce qu'il a donc fait ?

— Voilà la chose, monsieur... »

Le garde hésitait cependant, la voix changée, tremblante, la figure creusée soudain par des rides profondes, des rides de vieux.

Il reprit lentement :

« Voilà. J'ai bien vu, cet hiver, qu'on colletait dans le bois des Roseraies, mais je ne pouvais pas pincer l'homme. J'y passai des nuits, monsieur, encore des nuits. Rien. Et, pendant ce temps-là, on se mit à colleter du côté d'Écorcheville. J'en maigrissais de dépit. Mais, quant à prendre le maraudeur, impossible ! On aurait dit qu'il était prévenu de mes marches, le gueux, et de mes projets.

« Mais v'là qu'un jour, en brossant la culotte à Marius, sa culotte des dimanches, je trouvai quarante sous dans sa poche. Où's qu'il avait eu ça, le gars ?

« J'y réfléchis bien huit jours, et je vis qu'il sortait ; il sortait juste quand je rentrais au repos, oui, monsieur.

« Alors, je le guettai, mais sans doutance de la chose, oh ! oui, sans doutance. Et, comme je venais de me coucher devant lui, un matin, je me relevai incontinent, et je le suivis. Pour suivre, il n'y en a pas un comme moi, monsieur.

« Et v'là que je le pris, oui, Marius, qui colletait sur vos terres, monsieur, lui, mon neveu, moi, votre garde !

« Le sang ne m'en a fait qu'un tour et j'ai failli le

tuer sur place, tant j'ai tapé. Ah ! oui, j'ai tapé, allez ! et je lui ai promis que quand vous seriez là, il en aurait encore une en votre présence, de correction, de ma main, pour l'exemple.

« Voilà ; j'en ai maigri de chagrin. Vous savez ce que c'est quand on est contrarié comme ça. Mais qu'est-ce que vous auriez fait, dites ? Il n'a plus ni père ni mère, ce gars, il n'a plus que moi de son sang, je l'ai gardé, je ne pouvais point le chasser, n'est-ce pas ?

« Mais je lui ai dit que s'il recommence, c'est fini, fini, plus de pitié. Voilà. Est-ce que j'ai bien fait, monsieur ? »

Je répondis en lui tendant la main :

« Vous avez bien fait, Cavalier ; vous êtes un brave homme. »

Il se leva :

« Merci bien, monsieur. Maintenant je vais le quérir. Il faut la correction, pour l'exemple. »

Je savais qu'il était inutile d'essayer de dissuader le vieux d'un projet. Je le laissai donc agir à sa guise.

Il alla chercher le galopin et le ramena en le tenant par l'oreille.

J'étais assis sur une chaise de paille, avec le visage grave d'un juge.

Marius me parut grandi, encore plus laid que l'autre année, avec son air mauvais, sournois. Et ses grandes mains semblaient monstrueuses.

Son oncle le poussa devant moi, et, de sa voix militaire :

« Demande pardon au propriétaire. »

Le gars ne dit point un mot.

Alors, l'ayant saisi sous les bras, l'ancien gendarme le souleva de terre, et il se mit à le fesser avec une telle violence que je me levai pour arrêter les coups.

L'enfant maintenant hurlait :

« Grâce ! — grâce ! — grâce ! — je promets... »

Cavalier le reposa sur le sol, et le forçant, par une pesée sur les épaules, à se mettre à genoux :

« Demande pardon », dit-il.

Le garnement murmurait, les yeux baissés :

« Je demande pardon. »

Alors son oncle le releva et le congédia d'une gifle qui faillit encore le culbuter.

Il se sauva et je ne le revis pas de la soirée.

Mais Cavalier paraissait atterré.

« C'est une mauvaise nature », dit-il.

Et, pendant tout le dîner, il répétait :

« Oh ! ça me fait deuil, monsieur, vous ne savez pas comme ça me fait deuil. »

J'essayai de le consoler, mais en vain.

Et je me couchai de bonne heure pour me mettre en chasse au point du jour.

Mon chien dormait déjà sur le plancher, au pied de mon lit, quand je soufflai ma chandelle.

Je fus réveillé vers le milieu de la nuit par les aboiements furieux de Bock. Et je m'aperçus aussitôt que ma chambre était pleine de fumée. Je sautai de ma couche, j'allumai ma lumière, je courus à la porte et je l'ouvris. Un tourbillon de flammes entra. La maison brûlait.

Je refermai bien vite le battant de gros chêne, et, ayant passé ma culotte, je descendis d'abord par la fenêtre mon chien, au moyen d'une corde faite avec mes draps roulés, puis ayant jeté dehors mes vêtements, ma carnassière et mon fusil, je m'échappai à mon tour par le même moyen.

Et je me mis à crier de toutes mes forces :

« Cavalier ! — Cavalier ! — Cavalier ! »

Mais le garde ne se réveillait point. Il avait un dur sommeil de vieux gendarme.

Cependant, par les fenêtres d'en bas, je voyais que tout le rez-de-chaussée n'était plus qu'une fournaise ardente ; et je m'aperçus qu'on l'avait empli de paille pour favoriser l'incendie.

Donc on avait mis le feu !

Je recommençai à crier avec fureur :

« Cavalier ! »

Alors la pensée me vint que la fumée l'asphyxiait. J'eus une inspiration et, glissant deux cartouches dans mon fusil, je tirai un coup en plein dans sa fenêtre.

Les six carreaux jaillirent dans la chambre en poussière de verre. Cette fois, le vieux avait entendu, et il apparut effaré, en chemise, affolé surtout par cette lueur qui éclairait violemment tout le devant de sa demeure.

Je lui criai :

« Votre maison brûle. Sautez par la fenêtre, vite, vite ! »

Les flammes, sortant brusquement par les ouvertures d'en bas, léchaient le mur, arrivaient à lui, allaient l'enfermer. Il sauta et tomba sur ses pieds, comme un chat.

Il était temps. Le toit de chaume craqua par le milieu, au-dessus de l'escalier qui formait, en quelque sorte, une cheminée au feu d'en bas ; et une immense gerbe rouge s'éleva dans l'air, s'élargissant comme un panache de jet d'eau et semant une pluie d'étincelles autour de la chaumière.

Et, en quelques secondes, elle ne fut plus qu'un paquet de flammes.

Cavalier atterré, demanda :

« Comment que ça a pris ? »

Je répondis :

« On a mis le feu dans la cuisine. »

Il murmura :

« Qui qu'a pu mettre le feu ? »

Et moi, devinant tout à coup, je prononçai :

« Marius ! »

Et le vieux comprit. Il balbutia :

« Oh ! Jésus-Marie ! C'est pour ça qu'il n'est pas rentré. »

Mais une pensée horrible me traversa l'esprit. Je criai :

« Et Céleste ? Céleste ? »

Il ne répondit pas, lui, mais la maison s'écroula devant nous, ne formant déjà plus qu'un épais brasier, éclatant, aveuglant, sanglant, un bûcher formidable, où la pauvre femme ne devait plus être elle-même qu'un charbon rouge, un charbon de chair humaine.

Nous n'avions point entendu un seul cri.

Mais, comme le feu gagnait le hangar voisin, je songeai tout à coup à mon cheval, et Cavalier courut le délivrer.

À peine eut-il ouvert la porte de l'écurie qu'un corps souple et rapide, lui passant entre les jambes, le précipita sur le nez. C'était Marius, fuyant de toutes ses forces.

L'homme, en une seconde, se releva. Il voulut courir pour rattraper le misérable ; mais, comprenant qu'il n'y parviendrait point, et affolé par une irrésistible fureur, cédant à un de ces mouvements irréfléchis, instantanés, qu'on ne saurait ni prévoir ni retenir, il saisit mon fusil resté par terre, tout près de lui, épaula et, avant que j'eusse pu faire un mouvement, il tira sans savoir même si l'arme était chargée.

Une des cartouches que j'avais mises dedans pour annoncer le feu n'était point partie ; et la charge atteignant le fuyard en plein dos le jeta sur la face, couvert de sang. Il se mit aussitôt à gratter la terre de ses mains et de ses genoux comme s'il eût voulu encore courir à quatre pattes, à la façon des lièvres blessés à mort qui voient venir le chasseur.

Je m'élançai. L'enfant râlait déjà. Il expira avant que fût éteinte la maison, sans avoir prononcé un mot.

Cavalier, toujours en chemise, les jambes nues, restait debout près de nous, immobile, hébété.

Quand les gens du village arrivèrent, on emporta mon garde, pareil à un fou.

Je parus au procès comme témoin, et je racontai les faits par le détail, sans rien changer. Cavalier fut acquitté. Mais il disparut, le jour même, abandonnant le pays.

Je ne l'ai jamais revu.

Voilà, messieurs, mon histoire de chasse.

LES BÉCASSES [1]

Ma chère amie, vous me demandez pourquoi je ne rentre pas à Paris ; vous vous étonnez, et vous vous fâchez presque. La raison que je vais vous donner va, sans doute, vous révolter : est-ce qu'un chasseur rentre à Paris au moment du passage des bécasses ?

Certes, je comprends et j'aime assez cette vie de la ville, qui va de la chambre au trottoir ; mais je préfère la vie libre, la rude vie d'automne du chasseur.

À Paris, il me semble que je ne suis jamais dehors ; car les rues ne sont, en somme, que de grands appartements communs, et sans plafond. Est-on à l'air, entre deux murs, les pieds sur des pavés de bois ou de pierre, le regard borné partout par des bâtiments, sans aucun horizon de verdure, de plaines ou de bois ? Des milliers de voisins vous coudoient, vous poussent, vous saluent et vous parlent ; et le fait de recevoir de l'eau sur un parapluie quand il pleut ne suffit pas à me donner l'impression, la sensation de l'espace.

Ici, je perçois bien nettement, et délicieusement, la différence du dedans et du dehors... Mais ce n'est pas de cela que je veux vous parler...

Donc les bécasses passent.

Il faut vous dire que j'habite une grande maison

1. Première parution : *Gil Blas* du 20 octobre 1885.

normande, dans une vallée, auprès d'une petite rivière, et que je chasse presque tous les jours.

Les autres jours, je lis ; je lis même des choses que les hommes de Paris n'ont pas le temps de connaître, des choses très sérieuses, très profondes, très curieuses, écrites par un brave savant de génie, un étranger qui a passé toute sa vie à étudier la même question et a observé les mêmes faits relatifs à l'influence du fonctionnement de nos organes sur notre intelligence.

Mais je veux vous parler des bécasses. Donc mes deux amis, les frères d'Orgemol et moi, nous restons ici pendant la saison de chasse, en attendant les premiers froids. Puis, dès qu'il gèle, nous partons pour leur ferme de Cannetot [1] près de Fécamp, parce qu'il y a là un petit bois délicieux, un petit bois divin, où viennent loger toutes les bécasses qui passent.

Vous connaissez les d'Orgemol, ces deux géants, ces deux Normands des premiers temps, ces deux mâles de la vieille et puissante race de conquérants qui envahit la France, prit et garda l'Angleterre, s'établit sur toutes les côtes du vieux monde, éleva des villes partout, passa comme un flot sur la Sicile en y créant un art admirable, battit tous les rois, pilla les plus fières cités, roula les papes dans leurs ruses de prêtres et les joua, plus madrés que ces pontifes italiens, et surtout laissa des enfants dans tous les lits de la terre. Les d'Orgemol sont deux Normands timbrés au meilleur titre, ils ont tout des Normands, la voix, l'accent, l'esprit, les cheveux blonds et les yeux couleur de la mer.

Quand nous sommes ensemble, nous parlons patois, nous vivons, pensons, agissons en Normands, nous devenons des Normands terriens plus paysans que nos fermiers.

Or, depuis quinze jours, nous attendions les bécasses.

Chaque matin l'aîné, Simon, me disait : « Hé, v'là

1. Il n'existe pas de commune de ce nom, « près de Fécamp ». Peut-être faut-il rapprocher ce nom de Vattetot, près d'Yport.

l'vent qui passe à l'est, y va geler. Dans deux jours, elles viendront. »

Le cadet Gaspard, plus précis, attendait que la gelée fût venue pour l'annoncer.

Or, jeudi dernier, il entra dans ma chambre dès l'aurore en criant :

« Ça y est, la terre est toute blanche. Deux jours comme ça et nous allons à Cannetot. »

Deux jours plus tard, en effet, nous partions pour Cannetot. Certes, vous auriez ri en nous voyant. Nous nous déplaçons dans une étrange voiture de chasse que mon père fit construire autrefois. Construire est le seul mot que je puisse employer en parlant de ce monument voyageur, ou plutôt de ce tremblement de terre roulant. Il y a de tout là-dedans : caisses pour les provisions, caisses pour les armes, caisses pour les malles, caisses à claire-voie pour les chiens. Tout y est à l'abri, excepté les hommes, perchés sur des banquettes à balustrades, hautes comme un troisième étage et portées par quatre roues gigantesques. On parvient là-dessus comme on peut, en se servant des pieds, des mains et même des dents à l'occasion, car aucun marchepied ne donne accès sur cet édifice.

Donc, les deux d'Orgemol et moi nous escaladons cette montagne, en des accoutrements de Lapons. Nous sommes vêtus de peaux de mouton ; nous portons des bas de laine énormes par-dessus nos pantalons, et des guêtres par-dessus nos bas de laine ; nous avons des coiffures en fourrure noire et des gants en fourrure blanche. Quand nous sommes installés, Jean, mon domestique, nous jette nos trois bassets, Pif, Paf et Moustache. Pif appartient à Simon, Paf à Gaspard et Moustache à moi. On dirait trois petits crocodiles à poil. Ils sont longs, bas, crochus, avec des pattes torses, et tellement velus qu'ils ont l'air de broussailles jaunes. À peine voit-on leurs yeux noirs sous leurs sourcils, et leurs crocs blancs sous leurs barbes. Jamais on ne les enferme dans les chenils roulants de la voiture. Chacun de nous garde le sien sous ses pieds pour avoir chaud.

Et nous voilà partis, secoués abominablement. Il gelait, il gelait ferme. Nous étions contents. Vers cinq heures nous arrivions. Le fermier, maître Picot, nous attendait devant la porte. C'est aussi un gaillard, pas grand, mais rond, trapu, vigoureux comme un dogue, rusé comme un renard, toujours souriant, toujours content et sachant faire argent de tout.

C'est grande fête pour lui, au moment des bécasses.

La ferme est vaste, un vieux bâtiment dans une cour à pommiers, entourée de quatre rangs de hêtres qui bataillent toute l'année contre le vent de mer.

Nous entrons dans la cuisine où flambe un beau feu en notre honneur.

Notre table est mise tout contre la haute cheminée où tourne et cuit, devant la flamme claire, un gros poulet dont le jus coule dans un plat de terre.

La fermière alors nous salue, une grande femme muette, très polie, tout occupée des soins de la maison, la tête pleine d'affaires et de chiffres, prix des grains, des volailles, des moutons, des bœufs. C'est une femme d'ordre, rangée et sévère, connue à sa valeur dans les environs.

Au fond de la cuisine s'étend la grande table où viendront s'asseoir tout à l'heure les valets de tout ordre, charretiers, laboureurs, goujats [1], filles de ferme, bergers ; et tous ces gens mangeront en silence sous l'œil actif de la maîtresse, en nous regardant dîner avec maître Picot, qui dira des blagues pour rire. Puis, quand tout son personnel sera repu, Mme Picot prendra, seule, son repas rapide et frugal sur un coin de table, en surveillant la servante.

Aux jours ordinaires elle dîne avec tout son monde.

Nous couchons tous les trois, les d'Orgemol et moi, dans une chambre blanche, toute nue, peinte à la chaux, et qui contient seulement nos trois lits, trois chaises et trois cuvettes.

1. Cf. *Pierrot*, note 1, p. 47.

Gaspard s'éveille toujours le premier, et sonne une diane retentissante. En une demi-heure tout le monde est prêt et on part avec maître Picot qui chasse avec nous.

Maître Picot me préfère à ses maîtres. Pourquoi ? sans doute parce que je ne suis pas son maître. Donc nous voilà tous les deux qui gagnons le bois par la droite, tandis que les deux frères vont attaquer par la gauche. Simon a la direction des chiens qu'il traîne, tous les trois attachés au bout d'une corde.

Car nous ne chassons pas la bécasse, mais le lapin. Nous sommes convaincus qu'il ne faut pas chercher la bécasse, mais la trouver. On tombe dessus et on la tue, voilà. Quand on veut spécialement en rencontrer, on ne les pince jamais. C'est vraiment une chose belle et curieuse que d'entendre dans l'air frais du matin, la détonation brève du fusil, puis la voix formidable de Gaspard emplir l'horizon et hurler : « Bécasse. — Elle y est. »

Moi je suis sournois. Quand j'ai tué une bécasse, je crie : « Lapin ! » Et je triomphe avec excès lorsqu'on sort les pièces du carnier, au déjeuner de midi.

Donc, nous voilà, maître Picot et moi, dans le petit bois dont les feuilles tombent avec un murmure doux et continu, un murmure sec, un peu triste, elles sont mortes. Il fait froid, un froid léger qui pique les yeux, le nez, et les oreilles et qui a poudré d'une fine mousse blanche le bout des herbes et la terre brune des labourés. Mais on a chaud tout le long des membres, sous la grosse peau de mouton. Le soleil est gai dans l'air bleu, il ne chauffe guère, mais il est gai. Il fait bon chasser au bois par les frais matins d'hiver.

Là-bas, un chien jette un aboiement aigu. C'est Pif. Je connais sa voix frêle. Puis, plus rien. Voilà un autre cri, puis un autre ; et Paf à son tour donne de la gueule. Que fait donc Moustache ? Ah ! le voilà qui piaule comme une poule qu'on étrangle ! Ils ont levé un lapin. Attention, maître Picot !

Ils s'éloignent, se rapprochent, s'écartent encore,

puis reviennent ; nous suivons leurs allées imprévues, en courant dans les petits chemins, l'esprit en éveil, le doigt sur la gâchette du fusil.

Ils remontent vers la plaine, nous remontons aussi. Soudain, une tache grise, une ombre traverse le sentier. J'épaule et je tire. La fumée légère s'envole dans l'air bleu ; et j'aperçois sur l'herbe une pincée de poil blanc qui remue. Alors je hurle de toute ma force : « Lapin, lapin. — Il y est ! » Et je le montre aux trois chiens, aux trois crocodiles velus qui me félicitent en remuant la queue ; puis s'en vont en chercher un autre.

Maître Picot m'avait rejoint. Moustache se remit à japper. Le fermier dit : « Ça pourrait bien être un lièvre, allons au bord de la plaine. »

Mais au moment où je sortais du bois, j'aperçus, debout, à dix pas de moi, enveloppé dans son immense manteau jaunâtre, coiffé d'un bonnet de laine, et tricotant toujours un bas, comme font les bergers chez nous, le pâtre de maître Picot, Gargan, le muet. Je lui dis, selon l'usage : « Bonjour, pasteur. » Et il leva la main pour me saluer, bien qu'il n'eût pas entendu ma voix ; mais il avait vu le mouvement de mes lèvres.

Depuis quinze ans je le connaissais, ce berger. Depuis quinze ans je le voyais chaque automne, debout au bord ou au milieu d'un champ, le corps immobile, et ses mains tricotant toujours. Son troupeau le suivait comme une meute, semblait obéir à son œil.

Maître Picot me serra le bras :

« Vous savez que le berger a tué sa femme. »

Je fus stupéfait : « Gargan ? Le sourd-muet ?

— Oui, cet hiver, et il a été jugé à Rouen. Je vas vous conter ça. »

Et il m'entraîna dans le taillis, car le pasteur savait cueillir les mots sur la bouche de son maître comme s'il les eût entendus. Il ne comprenait que lui ; mais, en face de lui, il n'était plus sourd ; et le maître, par contre, devinait comme un sorcier toutes les intentions de la pantomime du muet, tous les gestes de ses doigts, les plis de ses joues et les reflets de ses yeux.

Voici cette simple histoire, sombre fait divers, comme il s'en passe aux champs quelquefois.

Gargan était fils d'un marneux [1], d'un de ces hommes qui descendent dans les marnières pour extraire cette sorte de pierre molle, blanche et fondante, qu'on sème sur les terres. Sourd-muet de naissance, on l'avait élevé à garder des vaches le long des fossés des routes.

Puis, recueilli par le père de Picot, il était devenu berger de la ferme. C'était un excellent berger, dévoué, probe, et qui savait replacer les membres démis, bien que personne ne lui eût jamais rien appris.

Quand Picot prit la ferme à son tour, Gargan avait trente ans et en paraissait quarante. Il était haut, maigre et barbu, barbu comme un patriarche.

Or, vers cette époque, une bonne femme du pays, très pauvre, la Martel, mourut, laissant une fillette de quinze ans, qu'on appelait la Goutte à cause de son amour immodéré pour l'eau-de-vie.

Picot recueillit cette guenilleuse et l'employa à de menues besognes, la nourrissant sans la payer, en échange de son travail. Elle couchait sous la grange, dans l'étable ou dans l'écurie, sur la paille ou sur le fumier, quelque part, n'importe où, car on ne donne pas un lit à ces va-nu-pieds. Elle couchait donc n'importe où, avec n'importe qui, peut-être avec le charretier ou le goujat. Mais il arriva que, bientôt, elle s'adonna avec le sourd et s'accoupla avec lui d'une façon continue. Comment s'unirent ces deux misères ? comment se comprirent-elles ? Avait-il jamais connu une femme avant cette rôdeuse de granges, lui qui n'avait jamais causé avec personne ? Est-ce elle qui le fut trouver dans sa hutte roulante, et qui le séduisit, Ève d'ornière, au bord d'un chemin ? On ne sait pas. On sut seulement, un jour, qu'ils vivaient ensemble comme mari et femme.

1. Cf. *Pierrot*, note 1, p. 46.

Personne ne s'en étonna. Et Picot trouva même cet accouplement naturel.

Mais voilà que le curé apprit cette union sans messe et se fâcha. Il fit des reproches à Mme Picot, inquiéta sa conscience, la menaça de châtiments mystérieux. Que faire ? C'était bien simple. On allait les marier à l'église et à la mairie. Ils n'avaient rien ni l'un ni l'autre ; lui, pas une culotte entière ; elle, pas un jupon d'une seule pièce. Donc, rien ne s'opposait à ce que la loi et la religion fussent satisfaites. On les unit, en une heure, devant maire et curé, et on crut tout réglé pour le mieux.

Mais voilà que, bientôt, ce fut un jeu dans le pays (pardon pour ce vilain mot !) de faire cocu ce pauvre Gargan. Avant qu'il fût marié, personne ne songeait à coucher avec la Goutte ; et, maintenant, chacun voulait son tour, histoire de rire. Tout le monde y passait pour un petit verre, derrière le dos du mari. L'aventure fit même tant de bruit aux environs qu'il vint des messieurs de Goderville[1] pour voir ça.

Moyennant un demi-litre, la Goutte leur donnait le spectacle avec n'importe qui, dans un fossé, derrière un mur, tandis qu'on apercevait, en même temps, la silhouette immobile de Gargan, tricotant un bas à cent pas de là et suivi de son troupeau bêlant. Et on riait à s'en rendre malade dans tous les cafés de la contrée ; on ne parlait que de ça, le soir, devant le feu ; on s'abordait sur les routes en se demandant : « As-tu payé la goutte à la Goutte ? » On savait ce que cela voulait dire.

Le berger ne semblait rien voir. Mais voilà qu'un jour, le gars Poirot, de Sasseville, appela d'un signe la femme à Gargan derrière une meule en lui faisant voir une bouteille pleine. Elle comprit et accourut en riant ; or, à peine étaient-ils occupés à leur besogne criminelle que le pâtre tomba sur eux comme s'il fût sorti d'un nuage. Poirot s'enfuit, à cloche-pied, la culotte

1. Bourg cauchois, entre Fécamp et Étretat.

sur les talons, tandis que le muet, avec des cris de bête, serrait la gorge de sa femme.

Des gens accoururent qui travaillaient dans la plaine. Il était trop tard ; elle avait la langue noire, les yeux sortis de la tête, du sang lui coulait par le nez. Elle était morte.

Le berger fut jugé par le tribunal de Rouen. Comme il était muet, Picot lui servait d'interprète. Les détails de l'affaire amusèrent beaucoup l'auditoire. Mais le fermier n'avait qu'une idée : c'était de faire acquitter son pasteur, et il s'y prenait en malin.

Il raconta d'abord toute l'histoire du sourd et celle de son mariage ; puis, quand il en vint au crime, il interrogea lui-même l'assassin.

Toute l'assistance était silencieuse.

Picot prononçait avec lenteur : « Savais-tu qu'elle te trompait ? » Et, en même temps, il mimait sa question avec les yeux.

L'autre fit « non » de la tête.

« T'étais couché dans la meule quand tu l'as surprise ? » Et il faisait le geste d'un homme qui aperçoit une chose dégoûtante.

L'autre fit « oui » de la tête.

Alors, le fermier, imitant les signes du maire qui marie, et du prêtre qui unit au nom de Dieu, demanda à son serviteur s'il avait tué sa femme parce qu'elle était liée à lui devant les hommes et devant le ciel.

Le berger fit « oui » de la tête.

Picot lui dit : « Allons, montre comment c'est arrivé ? »

Alors, le sourd mima lui-même toute la scène. Il montra qu'il dormait dans la meule ; qu'il s'était réveillé en sentant remuer la paille, qu'il avait regardé tout doucement, et qu'il avait vu la chose.

Il s'était dressé, entre les deux gendarmes, et, brusquement, il imita le mouvement obscène du couple criminel enlacé devant lui.

Un rire tumultueux s'éleva dans la salle, puis s'arrêta net ; car le berger, les yeux hagards, remuant sa mâchoire et sa grande barbe comme s'il eût mordu quelque chose, les bras tendus, la tête en avant, répétait l'action terrible du meurtrier qui étrangle un être.

Et il hurlait affreusement, tellement affolé de colère qu'il croyait la tenir encore et que les gendarmes furent obligés de le saisir et de l'asseoir de force pour le calmer.

Un grand frisson d'angoisse courut dans l'assistance. Alors maître Picot, posant la main sur l'épaule de son serviteur, dit simplement : « Il a de l'honneur, cet homme-là. »

Et le berger fut acquitté.

Quant à moi, ma chère amie, j'écoutais, fort ému, la fin de cette aventure que je vous ai racontée en termes bien grossiers, pour ne rien changer au récit du fermier, quand un coup de fusil éclata au milieu du bois ; et la voix formidable de Gaspard gronda dans le vent comme un coup de canon.

« Bécasse. Elle y est. »

Et voilà comment j'emploie mon temps à guetter des bécasses qui passent tandis que vous allez aussi voir passer au bois les premières toilettes d'hiver.

AMOUR[1]

TROIS PAGES DU « LIVRE D'UN CHASSEUR »

...Je viens de lire dans un fait divers de journal un drame de passion. Il l'a tuée, puis il s'est tué, donc il l'aimait. Qu'importent Il et Elle ? Leur amour seul m'importe ; et il ne m'intéresse point parce qu'il m'attendrit ou parce qu'il m'étonne, ou parce qu'il m'émeut ou parce qu'il me fait songer, mais parce qu'il me rappelle un souvenir de ma jeunesse, un étrange souvenir de chasse où m'est apparu l'Amour comme apparaissaient aux premiers chrétiens des croix au milieu du ciel.

Je suis né avec tous les instincts et les sens de l'homme primitif tempérés par des raisonnements et des émotions de civilisé. J'aime la chasse avec passion ; et la bête saignante, le sang sur les plumes, le sang sur mes mains, me crispent le cœur à le faire défaillir.

Cette année-là, vers la fin de l'automne, les froids arrivèrent brusquement, et je fus appelé par un de mes cousins, Karl de Rauville, pour venir avec lui tuer des canards dans les marais, au lever du jour.

Mon cousin, gaillard de quarante ans, roux, très fort et très barbu, gentilhomme de campagne, demi-brute

1. Publié dans *Gil Blas* du 7 décembre 1886.

aimable, d'un caractère gai, doué de cet esprit gaulois qui rend agréable la médiocrité, habitait une sorte de ferme-château dans une vallée large où coulait une rivière. Des bois couvraient les collines de droite et de gauche, vieux bois seigneuriaux où restaient des arbres magnifiques et où l'on trouvait les plus rares gibiers à plume de toute cette partie de la France. On y tuait des aigles quelquefois ; et les oiseaux de passage, ceux qui presque jamais ne viennent en nos pays trop peuplés, s'arrêtaient presque infailliblement dans ces branchages séculaires comme s'ils eussent connu ou reconnu un petit coin de forêt des anciens temps demeuré là pour leur servir d'abri en leur courte étape nocturne.

Dans la vallée, c'étaient de grands herbages arrosés par des rigoles et séparés par des haies ; puis, plus loin, la rivière, canalisée jusque-là, s'épandait en un vaste marais. Ce marais, la plus admirable région de chasse que j'aie jamais vue, était tout le souci de mon cousin qui l'entretenait comme un parc. À travers l'immense peuple de roseaux qui le couvrait, le faisait vivant, bruissant, houleux, on avait tracé d'étroites avenues où les barques plates, conduites et dirigées avec des perches, passaient, muettes, sur l'eau morte, frôlaient les joncs, faisaient fuir les poissons rapides à travers les herbes et plonger les poules sauvages dont la tête noire et pointue disparaissait brusquement.

J'aime l'eau d'une passion désordonnée : la mer, bien que trop grande, trop remuante, impossible à posséder, les rivières si jolies mais qui passent, qui fuient, qui s'en vont, et les marais surtout où palpite toute l'existence inconnue des bêtes aquatiques. Le marais, c'est un monde entier sur la terre, monde différent, qui a sa vie propre, ses habitants sédentaires, et ses voyageurs de passage, ses voix, ses bruits et son mystère surtout. Rien n'est plus troublant, plus inquiétant, plus effrayant, parfois, qu'un marécage. Pourquoi cette peur qui plane sur ces plaines basses couvertes d'eau ? Sont-ce les vagues rumeurs des roseaux, les étranges feux follets, le silence profond qui les enveloppe dans les nuits calmes, ou bien les brumes bizarres, qui traînent sur les joncs comme des robes de mortes, ou bien encore l'imperceptible clapotement, si léger, si doux, et plus terrifiant parfois que le canon des hommes ou que le tonnerre du ciel, qui fait ressembler les marais à des pays de rêve, à des pays redoutables, cachant un secret inconnaissable et dangereux.

Non. Autre chose s'en dégage, un autre mystère, plus profond, plus grave, flotte dans les brouillards épais, le mystère même de la création peut-être ! Car n'est-ce pas dans l'eau stagnante et fangeuse, dans la lourde humidité des terres mouillées sous la chaleur du soleil, que remua, que vibra, que s'ouvrit au jour le premier germe de vie ?

J'arrivai le soir chez mon cousin. Il gelait à fendre les pierres.

Pendant le dîner, dans la grande salle dont les buffets, les murs, le plafond étaient couverts d'oiseaux empaillés, aux ailes étendues, ou perchés sur des branches accrochées par des clous, éperviers, hérons, hiboux, engoulevents, buses, tiercelets, vautours, faucons, mon cousin, pareil lui-même à un étrange animal des pays froids, vêtu d'une jaquette en peau de phoque, me racontait les dispositions qu'il avait prises pour cette nuit même.

Nous devions partir à trois heures et demie du matin, afin d'arriver vers quatre heures et demie au point choisi pour notre affût. On avait construit à cet endroit une hutte avec des morceaux de glace pour nous abriter un peu contre le vent terrible qui précède le jour, ce vent chargé de froid qui déchire la chair comme des scies, la coupe comme des lames, la pique comme des aiguillons empoisonnés, la tord comme des tenailles, et la brûle comme du feu.

Mon cousin se frottait les mains : « Je n'ai jamais vu une gelée pareille, disait-il, nous avions douze degrés sous zéro à six heures du soir. »

J'allai me jeter sur mon lit aussitôt après le repas,

et je m'endormis à la lueur d'une grande flamme flambant dans ma cheminée.

À trois heures sonnantes on me réveilla. J'endossai, à mon tour, une peau de mouton et je trouvai mon cousin Karl couvert d'une fourrure d'ours. Après avoir avalé chacun deux tasses de café brûlant suivies de deux verres de fine champagne, nous partîmes accompagnés d'un garde et de nos chiens : Plongeon et Pierrot.

Dès les premiers pas dehors, je me sentis glacé jusqu'aux os. C'était une de ces nuits où la terre semble morte de froid. L'air gelé devient résistant, palpable tant il fait mal ; aucun souffle ne l'agite ; il est figé, immobile, il mord, traverse, dessèche, tue les arbres, les plantes, les insectes, les petits oiseaux eux-mêmes qui tombent des branches sur le sol dur, et deviennent durs aussi, comme lui, sous l'étreinte du froid.

La lune, à son dernier quartier, toute penchée sur le côté, toute pâle, paraissait défaillante au milieu de l'espace, et si faible qu'elle ne pouvait plus s'en aller, qu'elle restait là-haut, saisie aussi, paralysée par la rigueur du ciel. Elle répandait une lumière sèche et triste sur le monde, cette lueur mourante et blafarde qu'elle nous jette chaque mois, à la fin de sa résurrection.

Nous allions, côte à côte, Karl et moi, le dos courbé, les mains dans nos poches et le fusil sous le bras. Nos chaussures enveloppées de laine afin de pouvoir marcher sans glisser sur la rivière gelée ne faisaient aucun bruit ; et je regardais la fumée blanche que faisait l'haleine de nos chiens.

Nous fûmes bientôt au bord du marais, et nous nous engageâmes dans une des allées de roseaux secs qui s'avançait à travers cette forêt basse.

Nos coudes, frôlant les longues feuilles en rubans, laissaient derrière nous un léger bruit ; et je me sentis saisi, comme je ne l'avais jamais été, par l'émotion puissante et singulière que font naître en moi les marécages. Il était mort, celui-là, mort de froid, puisque nous marchions dessus, au milieu de son peuple de joncs desséchés.

Tout à coup, au détour d'une des allées, j'aperçus la hutte de glace qu'on avait construite pour nous mettre à l'abri. J'y entrai, et comme nous avions encore près d'une heure à attendre le réveil des oiseaux errants, je me roulai dans ma couverture pour essayer de me réchauffer.

Alors, couché sur le dos, je me mis à regarder la lune déformée, qui avait quatre cornes à travers les parois vaguement transparentes de cette maison polaire.

Mais le froid du marais gelé, le froid de ces murailles, le froid tombé du firmament me pénétra bientôt d'une façon si terrible, que je me mis à tousser.

Mon cousin Karl fut pris d'inquiétude : « Tant pis si nous ne tuons pas grand-chose aujourd'hui, dit-il, je ne veux pas que tu t'enrhumes ; nous allons faire du feu. » Et il donna l'ordre au garde de couper des roseaux.

On en fit un tas au milieu de notre hutte défoncée au sommet pour laisser échapper la fumée ; et lorsque la flamme rouge monta le long des cloisons claires de cristal, elles se mirent à fondre, doucement, à peine, comme si ces pierres de glace avaient sué. Karl, resté dehors, me cria : « Viens donc voir ! » Je sortis et je restai éperdu d'étonnement. Notre cabane, en forme de cône, avait l'air d'un monstrueux diamant au cœur de feu poussé soudain sur l'eau gelée du marais. Et dedans, on voyait deux formes fantastiques, celles de nos chiens qui se chauffaient.

Mais un cri bizarre, un cri perdu, un cri errant, passa sur nos têtes. La lueur de notre foyer réveillait les oiseaux sauvages.

Rien ne m'émeut comme cette première clameur de vie qu'on ne voit point et qui court dans l'air sombre, si vite, si loin, avant qu'apparaisse à l'horizon la première clarté des jours d'hiver. Il me semble à cette heure glaciale de l'aube, que ce cri fuyant emporté par les plumes d'une bête est un soupir de l'âme du monde !

Karl disait : « Éteignez le feu. Voici l'aurore. »

Le ciel en effet commençait à pâlir, et les bandes de

canards traînaient de longues taches rapides, vite effacées, sur le firmament.

Une lueur éclata dans la nuit, Karl venait de tirer ; et les deux chiens s'élancèrent.

Alors, de minute en minute, tantôt lui et tantôt moi, nous ajustions vivement dès qu'apparaissait au-dessus des roseaux l'ombre d'une tribu volante. Et Pierrot et Plongeon, essoufflés et joyeux, nous rapportaient des bêtes sanglantes dont l'œil quelquefois nous regardait encore.

Le jour s'était levé, un jour clair et bleu ; le soleil apparaissait au fond de la vallée et nous songions à repartir, quand deux oiseaux, le col droit et les ailes tendues, glissèrent brusquement sur nos têtes. Je tirai. Un d'eux tomba presque à mes pieds. C'était une sarcelle au ventre d'argent. Alors, dans l'espace au-dessus de moi, une voix, une voix d'oiseau cria. Ce fut une plainte courte, répétée, déchirante ; et la bête, la petite bête épargnée se mit à tourner dans le bleu du ciel au-dessus de nous en regardant sa compagne morte que je tenais entre mes mains.

Karl, à genoux, le fusil à l'épaule, l'œil ardent, la guettait, attendant qu'elle fût assez proche.

« Tu as tué la femelle, dit-il, le mâle ne s'en ira pas. »

Certes, il ne s'en allait point ; il tournoyait toujours, et pleurait autour de nous. Jamais gémissement de souffrance ne me déchira le cœur comme l'appel désolé, comme le reproche lamentable de ce pauvre animal perdu dans l'espace.

Parfois, il s'enfuyait sous la menace du fusil qui suivait son vol ; il semblait prêt à continuer sa route, tout seul à travers le ciel. Mais ne s'y pouvant décider il revenait bientôt pour chercher sa femelle.

« Laisse-la par terre, me dit Karl, il approchera tout à l'heure. »

Il approchait, en effet, insouciant du danger, affolé par son amour de bête pour l'autre bête que j'avais tuée.

Karl tira ; ce fut comme si on avait coupé la corde

qui tenait suspendu l'oiseau. Je vis une chose noire qui tombait ; j'entendis dans les roseaux le bruit d'une chute. Et Pierrot me le rapporta.

Je les mis, froids déjà, dans le même carnier... et je repartis, ce jour-là, pour Paris.

HAUTOT PÈRE ET FILS[1]

I

Devant la porte de la maison, demi-ferme, demi-manoir, une de ces habitations rurales mixtes qui furent presque seigneuriales et qu'occupent à présent de gros cultivateurs, les chiens, attachés aux pommiers de la cour, aboyaient et hurlaient à la vue des carnassières portées par le garde et des gamins. Dans la grande salle à manger-cuisine, Hautot père, Hautot fils, M. Bermont, le percepteur, et M. Mondaru, le notaire, cassaient une croûte et buvaient un verre avant de se mettre en chasse, car c'était jour d'ouverture.

Hautot père, fier de tout ce qu'il possédait, vantait d'avance le gibier que ses invités allaient trouver sur ses terres. C'était un grand Normand, un de ces hommes puissants, sanguins, osseux, qui lèvent sur leurs épaules des voitures de pommes. Demi-paysan, demi-monsieur, riche, respecté, influent, autoritaire, il avait fait suivre ses classes, jusqu'en troisième, à son fils Hautot César, afin qu'il eût de l'instruction, et il avait arrêté là ses études de peur qu'il devînt un monsieur indifférent à la terre.

1. Publié le 5 janvier 1889, dans *L'Écho de Paris.*

Hautot César, presque aussi haut que son père, mais plus maigre, était un bon garçon de fils, docile, content de tout, plein d'admiration, de respect et de déférence pour les volontés et les opinions de Hautot père.

M. Bermont, le percepteur, un petit gros qui montrait sur ses joues rouges de minces réseaux de veines violettes pareils aux affluents et au cours tortueux des fleuves sur les cartes de géographie, demandait :

« Et du lièvre — y en a-t-il, du lièvre ?... »

Hautot père répondit :

« Tant que vous en voudrez, surtout dans les fonds du Puysatier.

— Par où commençons-nous ? » interrogea le notaire, un bon vivant de notaire gras et pâle, bedonnant aussi et sanglé dans un costume de chasse tout neuf, acheté à Rouen l'autre semaine.

« Eh bien, par là, par les fonds. Nous jetterons les perdrix dans la plaine et nous nous rabattrons dessus. »

Et Hautot père se leva. Tous l'imitèrent, prirent leurs fusils dans les coins, examinèrent les batteries, tapèrent du pied pour s'affermir dans leurs chaussures un peu dures, pas encore assouplies par la chaleur du sang ; puis ils sortirent ; et les chiens se dressant au bout des attaches poussèrent des hurlements aigus en battant l'air de leurs pattes.

On se mit en route vers les fonds. C'était un petit vallon, ou plutôt une grande ondulation de terres de mauvaise qualité, demeurées incultes pour cette raison, sillonnées de ravines, couvertes de fougères, excellente réserve de gibier.

Les chasseurs s'espacèrent, Hautot père tenant la droite, Hautot fils tenant la gauche, et les deux invités au milieu. Le garde et les porteurs de carniers suivaient. C'était l'instant solennel où on attend le premier coup de fusil, où le cœur bat un peu, tandis que le doigt nerveux tâte à tout instant les gâchettes.

Soudain, il partit, ce coup ! Hautot père avait tiré. Tous s'arrêtèrent et virent une perdrix, se détachant d'une compagnie qui fuyait à tire-d'aile, tomber dans un ravin sous une broussaille épaisse. Le chasseur excité se mit à courir, enjambant, arrachant les ronces qui le retenaient, et il disparut à son tour dans le fourré, à la recherche de sa pièce.

Presque aussitôt, un second coup de feu retentit.

« Ah ! ah ! le gredin, cria M. Bermont, il aura déniché un lièvre là-dessous. »

Tous attendaient, les yeux sur ce tas de branches impénétrables au regard.

Le notaire, faisant un porte-voix de ses mains, hurla : « Les avez-vous ? » Hautot père ne répondit pas ; alors, César, se tournant vers le garde, lui dit : « Va donc aider, Joseph. Il faut marcher en ligne. Nous attendrons. »

Et Joseph, un vieux tronc d'homme sec, noueux, dont toutes les articulations faisaient des bosses, partit d'un pas tranquille et descendit dans le ravin, en cherchant les trous praticables avec des précautions de renard. Puis, tout de suite, il cria :

« Oh ! v'nez ! v'nez ! y a un malheur d'arrivé. »

Tous accoururent et plongèrent dans les ronces. Hautot père, tombé sur le flanc, évanoui, tenait à deux mains son ventre d'où coulait à travers sa veste de toile déchirée par le plomb de longs filets de sang sur l'herbe. Lâchant son fusil pour saisir la perdrix morte à portée de sa main, il avait laissé tomber l'arme dont le second coup, partant au choc, lui avait crevé les entrailles. On le tira du fossé, on le dévêtit, et on vit une plaie affreuse par où les intestins sortaient. Alors, après qu'on l'eut ligaturé tant bien que mal, on le reporta chez lui et on attendit le médecin qu'on avait été quérir, avec un prêtre.

Quand le docteur arriva, il remua la tête gravement, et se tournant vers Hautot fils qui sanglotait sur une chaise :

« Mon pauvre garçon, dit-il, ça n'a pas bonne tournure. »

Mais quand le pansement fut fini, le blessé remua les doigts, ouvrit la bouche, puis les yeux, jeta devant lui des regards troubles, hagards, puis parut chercher dans sa mémoire, se souvenir, comprendre, et il murmura :

« Nom d'un nom, ça y est ! »

Le médecin lui tenait la main.

« Mais non, mais non, quelques jours de repos seulement, ça ne sera rien. »

Hautot reprit :

« Ça y est ! j'ai l'ventre crevé ! Je le sais bien. »

Puis soudain :

« J'veux parler au fils, si j'ai le temps. »

Hautot fils, malgré lui, larmoyait et répétait comme un petit garçon :

« P'pa, p'pa, pauv'e p'pa ! »

Mais le père, d'un ton plus ferme :

« Allons pleure pu, c'est pas le moment. J'ai à te parler. Mets-toi là, tout près, ça sera vite fait, et je serai plus tranquille. Vous autres, une minute s'il vous plaît. »

Tous sortirent laissant le fils en face du père.

Dès qu'ils furent seuls :

« Écoute, fils, tu as vingt-quatre ans, on peut te dire les choses. Et puis il n'y a pas tant de mystère à ça que nous en mettons. Tu sais bien que ta mère est morte depuis sept ans, pas vrai, et que je n'ai pas plus de quarante-cinq ans, moi, vu que je me suis marié à dix-neuf. Pas vrai ? »

Le fils balbutia :

« Oui, c'est vrai.

— Donc ta mère est morte depuis sept ans, et moi je suis resté veuf. Eh bien ! ce n'est pas un homme comme moi qui peut rester veuf à trente-sept ans, pas vrai ? »

Le fils répondit :

« Oui, c'est vrai. »

Le père haletant, tout pâle et la face crispée, continua :

« Dieu que j'ai mal ! Eh bien, tu comprends. L'homme n'est pas fait pour vivre seul, mais je ne voulais pas donner une suivante à ta mère, vu que je lui avais promis ça. Alors... tu comprends ?

— Oui, père.

— Donc, j'ai pris une petite à Rouen, rue de l'Éperlan, 18, au troisième, la seconde porte — je te dis tout ça, n'oublie pas —, mais une petite qui a été gentille tout plein pour moi, aimante, dévouée, une vraie femme, quoi ? Tu saisis, mon gars ?

— Oui, père.

— Alors, si je m'en vas, je lui dois quelque chose, mais quelque chose de sérieux qui la mettra à l'abri. Tu comprends ?

— Oui, père.

— Je te dis que c'est une brave fille, mais là, une brave, et que, sans toi, et sans le souvenir de ta mère, et puis sans la maison où nous avons vécu tous trois, je l'aurais amenée ici, et puis épousée, pour sûr... écoute... écoute... mon gars... j'aurais pu faire un testament... je n'en ai point fait ! Je n'ai pas voulu... car il ne faut point écrire les choses... ces choses-là... ça nuit trop aux légitimes... et puis ça embrouille tout... ça ruine tout le monde ! Vois-tu, le papier timbré, n'en faut pas, n'en fais jamais usage. Si je suis riche, c'est que je ne m'en suis point servi de ma vie. Tu comprends, mon fils !

— Oui, père.

— Écoute encore... Écoute bien... Donc je n'ai pas fait de testament... je n'ai pas voulu..., et puis je te connais, tu as bon cœur, tu n'es pas ladre, pas regardant, quoi. Je me suis dit que, sur ma fin, je te conterais les choses et que je te prierais de ne pas oublier la petite : — Caroline Donet, rue de l'Éperlan, 18, au troisième, la seconde porte, n'oublie pas. — Et puis, écoute encore. Vas-y tout de suite quand je serai parti — et puis arrange-toi pour qu'elle ne se plaigne pas de ma mémoire. — Tu as de quoi. — Tu le peux, — je te laisse assez... Écoute... En semaine on ne la trouve pas. Elle travaille chez Mme Moreau, rue Beauvoisine. Vas-y le jeudi. Ce jour-là elle m'attend. C'est mon jour, depuis six ans. Pauvre p'tite, va-t-elle pleurer !... Je te dis tout ça, parce que je te connais bien, mon fils. Ces choses-là on ne les conte pas au public, ni au notaire, ni au curé. Ça se fait, tout le monde le sait, mais ça ne se dit pas, sauf nécessité. Alors, personne d'étranger dans le secret, personne que la famille, parce que la famille, c'est tous en un seul. Tu comprends ?

— Oui, père.

— Tu promets ?

— Oui, père.

— Tu jures ?

— Oui, père.

— Je t'en prie, je t'en supplie, fils, n'oublie pas. J'y tiens.

— Non, père.

— Tu iras toi-même. Je veux que tu t'assures de tout.

— Oui, père.

— Et puis tu verras... tu verras ce qu'elle t'expliquera. Moi, je ne peux pas te dire plus. C'est juré ?

— Oui, père.

— C'est bon, mon fils. Embrasse-moi. Adieu. Je vas claquer, j'en suis sûr. Dis-leur qu'ils entrent. »

Hautot fils embrassa son père en gémissant, puis, toujours docile, ouvrit la porte, et le prêtre parut, en surplis blanc, portant les saintes huiles.

Mais le moribond avait fermé les yeux, et il refusa de les rouvrir, il refusa de répondre, il refusa de montrer, même par un signe, qu'il comprenait.

Il avait assez parlé, cet homme, il n'en pouvait plus. Il se sentait d'ailleurs à présent le cœur tranquille, il voulait mourir en paix. Qu'avait-il besoin de se confesser au délégué de Dieu, puisqu'il venait de se confesser à son fils, qui était de la famille, lui ?

Il fut administré, purifié, absous, au milieu de ses amis et de ses serviteurs agenouillés, sans qu'un seul mouvement de son visage révélât qu'il vivait encore.

Il mourut vers minuit, après quatre heures de tressaillements indiquant d'atroces souffrances.

II

Ce fut le mardi qu'on l'enterra, la chasse ayant ouvert le dimanche. Rentré chez lui, après avoir conduit son père au cimetière, César Hautot passa le reste du jour à pleurer. Il dormit à peine la nuit suivante et il se sentit si triste en s'éveillant qu'il se demandait comment il pourrait continuer à vivre.

Jusqu'au soir cependant il songea que, pour obéir à la dernière volonté paternelle, il devait se rendre à Rouen le lendemain, et voir cette fille Caroline Donet qui demeurait rue de l'Éperlan, 18, au troisième étage, la seconde porte. Il avait répété, tout bas, comme on marmotte une prière, ce nom et cette adresse, un nombre incalculable de fois, afin de ne pas les oublier, et il finissait par les balbutier indéfiniment, sans pouvoir s'arrêter ou penser à quoi que ce fût, tant sa langue et son esprit étaient possédés par cette phrase.

Donc le lendemain, vers huit heures, il ordonna d'atteler Graindorge au tilbury et partit au grand trot du lourd cheval normand sur la grand-route d'Ainville[1] à Rouen. Il portait sur le dos sa redingote noire, sur la tête son grand chapeau de soie et sur les jambes sa culotte à sous-pieds, et il n'avait pas voulu, vu la circonstance, passer par-dessus son beau costume, la blouse bleue qui se gonfle au vent, garantit le drap de la poussière et des taches, et qu'on ôte prestement à l'arrivée, dès qu'on a sauté de voiture.

Il entra dans Rouen alors que dix heures sonnaient, s'arrêta comme toujours à l'hôtel des Bons-Enfants, rue des Trois-Mares, subit les embrassades du patron, de la patronne et de ses cinq fils, car on connaissait la triste nouvelle ; puis, il dut donner des détails sur l'accident, ce qui le fit pleurer, repousser les services

1. Nom inventé.

de toutes ces gens, empressées parce qu'ils le savaient riche, et refuser même leur déjeuner, ce qui les froissa.

Ayant donc épousseté son chapeau, brossé sa redingote et essuyé ses bottines, il se mit à la recherche de la rue de l'Éperlan, sans oser prendre de renseignements près de personne, de crainte d'être reconnu et d'éveiller les soupçons.

À la fin, ne trouvant pas, il aperçut un prêtre, et se fiant à la discrétion professionnelle des hommes d'Église, il s'informa auprès de lui.

Il n'avait que cent pas à faire, c'était justement la deuxième rue à droite.

Alors, il hésita. Jusqu'à ce moment, il avait obéi comme une brute à la volonté du mort. Maintenant il se sentait tout remué, confus, humilié à l'idée de se trouver, lui, le fils, en face de cette femme qui avait été la maîtresse de son père. Toute la morale qui gît en nous, tassée au fond de nos sentiments par des siècles d'enseignement héréditaire, tout ce qu'il avait appris depuis le catéchisme sur les créatures de mauvaise vie, le mépris instinctif que tout homme porte en lui contre elles, même s'il en épouse une, toute son honnêteté bornée de paysan, tout cela s'agitait en lui, le retenait, le rendait honteux et rougissant.

Mais il pensa : « J'ai promis au père. Faut pas y manquer. » Alors il poussa la porte entrebâillée de la maison marquée du numéro 18, découvrit un escalier sombre, monta trois étages, aperçut une porte, puis une seconde, trouva une ficelle de sonnette et tira dessus.

Le din-din qui retentit dans la chambre voisine lui fit passer un frisson dans le corps. La porte s'ouvrit et il se trouva en face d'une jeune dame très bien habillée, brune, au teint coloré, qui le regardait avec des yeux stupéfaits.

Il ne savait que lui dire, et, elle, qui ne se doutait de rien, et qui attendait l'autre, ne l'invitait pas à entrer. Ils se contemplèrent ainsi pendant près d'une demi-minute. À la fin elle demanda :

« Vous désirez, monsieur ? »

Il murmura :

« Je suis Hautot fils. »

Elle eut un sursaut, devint pâle, et balbutia comme si elle le connaissait depuis longtemps :

« Monsieur César ?

— Oui...

— Et alors ?...

— J'ai à vous parler de la part du père. »

Elle fit « Oh ! mon Dieu ! » et recula pour qu'il entrât. Il ferma la porte et la suivit.

Alors il aperçut un petit garçon de quatre ou cinq ans, qui jouait avec un chat, assis par terre devant un fourneau d'où montait une fumée de plats tenus au chaud.

« Asseyez-vous », disait-elle.

Il s'assit... Elle demanda :

« Eh bien ? »

Il n'osait plus parler, les yeux fixés sur la table dressée au milieu de l'appartement, et portant trois couverts, dont un d'enfant. Il regardait la chaise tournée dos au feu, l'assiette, la serviette, les verres, la bouteille de vin rouge entamée et la bouteille de vin blanc intacte. C'était la place de son père, dos au feu ! On l'attendait. C'était son pain qu'il voyait, qu'il reconnaissait près de la fourchette, car la croûte était enlevée à cause des mauvaises dents d'Hautot. Puis, levant les yeux, il aperçut, sur le mur, son portrait, la grande photographie faite à Paris l'année de l'Exposition [1], la même qui était clouée au-dessus du lit dans la chambre à coucher d'Ainville.

La jeune femme reprit :

« Eh bien, monsieur César ? »

Il la regarda. Une angoisse l'avait rendue livide et elle attendait, les mains tremblantes de peur.

Alors il osa.

1. L'Exposition de 1878 (la grande Exposition internationale allait ouvrir quelques mois après la parution de ce conte).

« Eh bien, mam'zelle, papa est mort dimanche, en ouvrant la chasse. »

Elle fut si bouleversée qu'elle ne remua pas. Après quelques instants de silence, elle murmura d'une voix presque insaisissable :

« Oh ! pas possible ! »

Puis, soudain, des larmes parurent dans ses yeux, et levant ses mains elle se couvrit la figure en se mettant à sangloter.

Alors, le petit tourna la tête, et voyant sa mère en pleurs, hurla. Puis, comprenant que ce chagrin subit venait de cet inconnu, il se rua sur César, saisit d'une main sa culotte et de l'autre il lui tapait la cuisse de toute sa force. Et César demeurait éperdu, attendri, entre cette femme qui pleurait son père et cet enfant qui défendait sa mère. Il se sentait lui-même gagné par l'émotion, les yeux enflés par le chagrin ; et, pour reprendre contenance, il se mit à parler.

« Oui, disait-il, le malheur est arrivé dimanche matin, sur les huit heures... » Et il contait, comme si elle l'eût écouté, n'oubliant aucun détail, disant les plus petites choses avec une minutie de paysan. Et le petit tapait toujours, lui lançant à présent des coups de pied dans les chevilles.

Quand il arriva au moment où Hautot père avait parlé d'elle, elle entendit son nom, découvrit sa figure et demanda :

« Pardon, je ne vous suivais pas, je voudrais bien savoir... Si ça ne vous contrariait pas de recommencer. »

Il recommença dans les mêmes termes : « Le malheur est arrivé dimanche matin sur les huit heures... »

Il dit tout, longuement, avec des arrêts, des points, des réflexions venues de lui, de temps en temps. Elle l'écoutait avidement, percevant avec sa sensibilité nerveuse de femme toutes les péripéties qu'il racontait, et tressaillant d'horreur, faisant : « Oh ! mon Dieu ! » parfois. Le petit, la croyant calmée, avait cessé de battre César pour prendre la main de sa mère, et il écoutait aussi, comme s'il eût compris.

Quand le récit fut terminé, Hautot fils reprit :

« Maintenant, nous allons nous arranger ensemble suivant son désir. Écoutez, je suis à mon aise, il m'a laissé du bien. Je ne veux pas que vous ayez à vous plaindre... »

Mais elle l'interrompit vivement.

« Oh ! monsieur César, monsieur César, pas aujourd'hui. J'ai le cœur coupé... Une autre fois, un autre jour... Non, pas aujourd'hui... Si j'accepte, écoutez... ce n'est pas pour moi... non, non, non, je vous le jure. C'est pour le petit. D'ailleurs, on mettra ce bien sur sa tête. »

Alors César, effaré, devina, et balbutiant :

« Donc... c'est à lui... le p'tit ?

— Mais oui », dit-elle.

Et Hautot fils regarda son frère avec une émotion confuse, forte et pénible.

Après un long silence, car elle pleurait de nouveau, César, tout à fait gêné, reprit :

« Eh bien, alors, mam'zelle Donet, je vas m'en aller. Quand voulez-vous que nous parlions de ça ? »

Elle s'écria :

« Oh ! non, ne partez pas, ne partez pas, ne me laissez pas toute seule avec Émile ! Je mourrais de chagrin. Je n'ai plus personne, personne que mon petit. Oh ! quelle misère, quelle misère, monsieur César ! Tenez, asseyez-vous. Vous allez encore me parler. Vous me direz ce qu'il faisait, là-bas, toute la semaine. »

Et César s'assit, habitué à obéir.

Elle approcha, pour elle, une autre chaise de la sienne, devant le fourneau où les plats mijotaient toujours, prit Émile sur ses genoux, et elle demanda à César mille choses sur son père, des choses intimes où l'on voyait, où il sentait sans raisonner qu'elle avait aimé Hautot de tout son pauvre cœur de femme.

Et, par l'enchaînement naturel de ses idées, peu nombreuses, il en revint à l'accident et se remit à le raconter avec tous les mêmes détails.

Quand il dit : « Il avait un trou dans le ventre, on

y aurait mis les deux poings », elle poussa une sorte de cri, et les sanglots jaillirent de nouveau de ses yeux. Alors, saisi par la contagion, César se mit aussi à pleurer, et comme les larmes attendrissent toujours les fibres du cœur, il se pencha vers Émile dont le front se trouvait à portée de sa bouche et l'embrassa.

La mère, reprenant haleine, murmurait :

« Pauvre gars, le voilà orphelin.

— Moi aussi », dit César.

Et ils ne parlèrent plus.

Mais soudain, l'instinct pratique de ménagère, habituée à songer à tout, se réveilla chez la jeune femme.

« Vous n'avez peut-être rien pris de la matinée, monsieur César ?

— Non, mam'zelle.

— Oh ! vous devez avoir faim. Vous allez manger un morceau.

— Merci, dit-il, je n'ai pas faim, j'ai eu trop de tourment. »

Elle répondit :

« Malgré la peine, faut bien vivre, vous ne me refuserez pas ça ! Et puis vous resterez un peu plus. Quand vous serez parti, je ne sais pas ce que je deviendrai. »

Il céda, après quelque résistance encore, et s'asseyant dos au feu, en face d'elle, il mangea une assiette de tripes qui crépitaient dans le fourneau et but un verre de vin rouge. Mais il ne permit point qu'elle débouchât le vin blanc.

Plusieurs fois il essuya la bouche du petit qui avait barbouillé de sauce tout son menton.

Comme il se levait pour partir, il demanda :

« Quand est-ce voulez-vous que je revienne pour parler de l'affaire, mam'zelle Donet ?

— Si ça ne vous faisait rien, jeudi prochain, monsieur César. Comme ça je ne perdrais pas de temps. J'ai toujours mes jeudis libres.

— Ça me va, jeudi prochain.

— Vous viendrez déjeuner, n'est-ce pas ?

— Oh ! quant à ça, je ne peux pas le promettre.

— C'est qu'on cause mieux en mangeant. On a plus de temps aussi.

— Eh bien, soit. Midi alors. »

Et il s'en alla après avoir encore embrassé le petit Émile, et serré la main de Mlle Donet.

III

La semaine parut longue à César Hautot. Jamais il ne s'était trouvé seul et l'isolement lui semblait insupportable. Jusqu'alors, il vivait à côté de son père, comme son ombre, le suivait aux champs, surveillait l'exécution de ses ordres, et quand il l'avait quitté pendant quelque temps le retrouvait au dîner. Ils passaient les soirs à fumer leurs pipes en face l'un de l'autre, en causant chevaux, vaches ou moutons ; et la poignée de main qu'ils se donnaient au réveil semblait l'échange d'une affection familiale et profonde.

Maintenant César était seul. Il errait par les labours d'automne, s'attendant toujours à voir se dresser au bout d'une plaine la grande silhouette gesticulante du père. Pour tuer les heures, il entrait chez les voisins, racontait l'accident à tous ceux qui ne l'avaient pas entendu, le répétait quelquefois aux autres. Puis, à bout d'occupations et de pensées, il s'asseyait au bord d'une route en se demandant si cette vie-là allait durer longtemps.

Souvent il songea à Mlle Donet. Elle lui avait plu. Il l'avait trouvée comme il faut, douce et brave fille, comme avait dit le père. Oui, pour une brave fille, c'était assurément une brave fille. Il était résolu à faire les choses grandement et à lui donner deux mille francs de rente en assurant le capital à l'enfant. Il éprouvait même un certain plaisir à penser qu'il allait la revoir le jeudi suivant, et arranger cela avec elle. Et puis l'idée de ce frère, de ce petit bonhomme de cinq ans, qui était le fils de son père, le tracassait, l'ennuyait un peu et l'échauffait en même temps. C'était une espèce de famille qu'il avait là dans ce mioche clandestin qui ne s'appellerait jamais Hautot, une famille qu'il pouvait prendre ou laisser à sa guise, mais qui lui rappelait le père.

Aussi quand il se vit sur la route de Rouen, le jeudi matin, emporté par le trot sonore de Graindorge, il sentit son cœur plus léger, plus reposé qu'il ne l'avait encore eu depuis son malheur.

En entrant dans l'appartement de Mlle Donet, il vit la table mise comme le jeudi précédent, avec cette seule différence que la croûte du pain n'était pas ôtée.

Il serra la main de la jeune femme, baisa Émile sur les joues et s'assit, un peu comme chez lui, le cœur gros tout de même. Mlle Donet lui parut un peu maigrie, un peu pâlie. Elle avait dû rudement pleurer. Elle avait maintenant un air gêné devant lui comme si elle eût compris ce qu'elle n'avait pas senti l'autre semaine sous le premier coup de son malheur, et elle le traitait avec des égards excessifs, une humilité douloureuse, et des soins touchants comme pour lui payer en attention et en dévouement les bontés qu'il avait pour elle. Ils déjeunèrent longuement, en parlant de l'affaire qui l'amenait. Elle ne voulait pas tant d'argent. C'était trop, beaucoup trop. Elle gagnait assez pour vivre, elle, mais elle désirait seulement qu'Émile trouvât quelques sous devant lui quand il serait grand. César tint bon, et ajouta même un cadeau de mille francs pour elle, pour son deuil.

Comme il avait pris son café, elle demanda :

« Vous fumez ?

— Oui... J'ai ma pipe. »

Il tâta sa poche. Nom d'un nom, il l'avait oubliée ! Il allait se désoler quand elle lui offrit une pipe du père, enfermée dans une armoire. Il accepta, la prit, la reconnut, la flaira, proclama sa qualité avec une émotion dans la voix, l'emplit de tabac et l'alluma. Puis il mit Émile à cheval sur sa jambe et le fit jouer au cavalier pendant qu'elle desservait la table et enfermait, dans le bas du buffet, la vaisselle sale pour la laver, quand il serait sorti.

Vers trois heures, il se leva à regret, tout ennuyé à l'idée de partir.

« Eh bien ! mam'zelle Donet, dit-il, je vous souhaite le bonsoir et charmé de vous avoir trouvée comme ça. »

Elle restait devant lui, rouge, bien émue, et le regardait en songeant à l'autre.

« Est-ce que nous ne nous reverrons plus ? » dit-elle.

Il répondit simplement :

« Mais oui, mam'zelle, si ça vous fait plaisir.

— Certainement, monsieur César. Alors, jeudi prochain, ça vous irait-il ?

— Oui, mam'zelle Donet.

— Vous venez déjeuner, bien sûr ?

— Mais..., si vous voulez bien, je ne refuse pas.

— C'est entendu, monsieur César, jeudi prochain, midi, comme aujourd'hui.

— Jeudi midi, mam'zelle Donet ! »

DOSSIER HISTORIQUE ET LITTÉRAIRE

L'AMOUR DE LA CHASSE

Dans Souvenirs sur Guy de Maupassant, *son valet de chambre, François Tassart, raconte une journée de chasse de son maître. On y trouve, brièvement décrits, divers éléments qui participent au plaisir d'une partie de chasse : les préparatifs, la réunion avec les chasseurs, le repas appétissant près d'un feu de cheminée, l'attente du gibier, la fierté du tableau de chasse... Dans les textes d'Ivan Tourgueniev* (Iermolaï et la meunière), *d'Alphonse Daudet* (En Camargue), *et de Maurice Genevoix* (Raboliot), *les descriptions détaillées de techniques comme « la croule » ou « l'espère » montrent des chasseurs passionnés comme l'est Maupassant. Mais ces récits sont aussi l'occasion de magnifiques observations sur les paysages (forêt russe, Camargue, Sologne), les personnages (Iermolaï, le garde, Raboliot), et les animaux (gibier, chiens). Il y a un plaisir de tous les sens (à rapprocher de* Amour *et* Les Bécasses*), et nous ne résistons pas à l'envie d'illustrer celui du goût par une recette d'Alexandre Dumas* (Grand dictionnaire de cuisine), *que Maupassant n'aurait certes pas dédaignée...*

Terminons par une petite note humoristique d'un auteur contemporain : Marcovaldo ou les saisons en ville, *d'Italo Calvino, où l'on prend des... pigeons pour des bécasses !...*

• SOUVENIRS SUR GUY DE MAUPASSANT

(texte n° 1)

Cette année, la chasse ouvre quinze jours plus tôt que d'habitude. Mon maître n'en est pas fâché, il lui tarde d'essayer son nouveau fusil ; il a fait toutes ses cartouches lui-même, pour être sûr, dit-il, de ses doses de poudre et obtenir une régularité parfaite dans son tir.

Le jour venu, il a six invités ; le rendez-vous est pour neuf heures, afin de faire un tour le matin. À midi, retour à la ferme pour le déjeuner. Mon maître est venu me regarder faire l'omelette sur un feu de bois dans la grande cheminée garnie des ustensiles nécessaires à la cuisine. Tout est en fer forgé et brillant comme de l'argent. Tout bas, mon maître me disait : « Cela fait plaisir de voir une si belle cheminée, si bien garnie et si bien tenue. » Puis on se met à table, et l'omelette bourrée de champignons, de truffes d'un doré foncé, imprégnée d'un excellent beurre frais, relevée à peine, est servie. Tout le monde la trouve exquise et l'on proclame que le feu de bois est encore ce qu'il y a de plus pratique pour les choses qui demandent à être enlevées.

À une heure, les chasseurs reprennent la plaine. Il fait chaud, les petites cailles sont paresseuses, les perdreaux aussi, le tableau est très beau : cent quarante-trois pièces. Pour un territoire de chasse relativement restreint, c'était magnifique. Mon maître arrivait premier avec trente-sept pièces, M. Arraux avec vingt-trois... Monsieur est très content, il attribue son succès à son fusil et à son jeune Paff, qui s'est montré parfait, et aussi à la fabrication de ses cartouches, qu'il continuera de faire lui-même.

François Tassart
O.c.

• IERMOLAÏ ET LA MEUNIÈRE

(texte n° 2)

Maupassant disait de Tourgueniev qu'il savait « conter d'une façon charmante, prêtant aux moindres faits une importance artistique et une couleur amusante »...

Ce soir-là, le chasseur Iermolaï et moi nous partîmes pour la « croule »... Mais peut-être, lecteurs, ne savez-vous pas tous ce que c'est que la croule ? Eh bien, alors, écoutez.

Un quart d'heure avant le coucher du soleil, au printemps, on se rend au bois sans chien, avec son fusil. On choisit un endroit près de la lisière, on inspecte les alentours, on vérifie son amorce, on échange un coup d'œil avec son compagnon. Un quart d'heure se passe. Le soleil est couché, mais dans le bois il fait clair encore ; l'air est pur et transparent, les oiseaux gazouillent à qui mieux mieux, l'herbe jeune brille avec un éclat joyeux d'émeraude... On attend. L'ombre s'empare peu à peu du bois ; les lueurs vermeilles du crépuscule glissent lentement des racines aux troncs, grimpent toujours plus haut, montent des premières branches, presque dénudées encore, jusqu'aux cimes, immobiles et assoupies... Voici que les cimes elles-mêmes sont devenues noires ; les feux du ciel passent au bleu foncé. La forêt, qui s'imprègne de moiteur, exhale une senteur plus puissante ; une brise légère vient mourir près de vous. Les oiseaux s'endorment, non pas tous à la fois, mais selon les espèces : les pinsons se sont tus les premiers, puis les fauvettes, puis les bruants. La forêt s'assombrit de plus en plus. Les arbres ne forment plus que de grandes masses noirâtres ; dans le bleu du ciel, les premières étoiles, timidement, s'allument.

Tous les oiseaux sont maintenant endormis. Seuls le rouge-queue et le grimpereau sifflotent d'une voix ensommeillée... Mais, à leur tour, ils ont fait silence. Une dernière fois le cri aigu du roitelet tinte au-dessus de nous ; dans le lointain le loriot a déjà poussé sa plainte, le rossignol, modulé son premier chant. Le cœur vous bat d'impatience, et tout à coup, — mais seuls les chasseurs me comprendront ! — tout à coup, dans le profond silence retentit un cri particulier, moitié sifflement moitié coassement ; deux ailes agiles battent en cadence ; et la bécasse, inclinant avec grâce son long bec, sort de l'ombre d'un bouleau et vient d'un vol égal s'offrir à votre fusil.

Voilà ce qu'on appelle la croule.

Donc Iermolaï et moi nous allions à la croule... Mais pardon, laissez-moi tout d'abord vous présenter mon compagnon.

Figurez-vous un homme de quarante-cinq ans, grand, maigre, long nez effilé, front étroit, petits yeux gris, chevelure hirsute, grosses lèvres moqueuses. Été comme hiver, il portait une sorte de caftan en nankin jaune, de coupe étrangère, mais qu'il serrait à la taille par une ceinture à la mode russe ; un pantalon bleu ; un bonnet en peau de mouton, que lui avait donné, dans un moment de bonne humeur, un hobereau ruiné. Deux sacs pendaient à sa ceinture : celui de devant, habilement séparé en deux parties, contenait le plomb et la poudre ; celui de derrière était destiné au gibier ; quant à la bourre, Iermolaï la tirait du fond, véritablement inépuisable, de son bonnet. Avec le produit de sa chasse il aurait pu facilement acheter un carnier et une cartouchière ; mais jamais pareille emplette ne lui vint à l'idée. Il continuait à charger son arme comme par le passé ; son adresse à ne jamais répandre ni mélanger le plomb à la poudre émerveillait ceux qui le voyaient. Et comme son fusil à pierre avait l'inconvénient de repousser, la joue droite de Iermolaï était toujours enflée. Comment arrivait-il à tirer juste avec pareille arquebuse, bien malin qui l'expliquera ! Toujours est-il qu'il ne manquait pas un coup.

Iermolaï possédait un chien courant nommé *Valet*, créature vraiment fabuleuse. Il ne le nourrissait jamais. « Faudrait voir que je donne à manger à mon chien ! disait-il. Allons donc ! C'est un animal intelligent ; il saura bien trouver sa nourriture tout seul. » De fait, si la maigreur inouïe de Valet excitait la compassion du passant le plus indifférent, le pauvre animal n'en fournit pas moins une longue carrière. Et même, en dépit de son triste sort, il n'eut jamais la moindre velléité d'abandonner son maître. Au temps de sa jeunesse, entraîné par l'amour, il s'échappa deux jours durant ;

mais ce caprice lui passa vite. Valet avait pour trait distinctif une insouciance complète à l'égard de toutes choses... S'il ne s'agissait pas d'un chien, j'emploierais même le mot « désenchantement ». Il restait d'ordinaire assis sur son train de derrière, sa courte queue glissée sous lui, renfrogné, tremblotant par moments, et ne souriant jamais (car les chiens ont la faculté de sourire, et même avec beaucoup de grâce). Son extérieur était plutôt ingrat, et nul laquais désœuvré ne laissait passer l'occasion de s'en moquer cruellement ; il supportait les rires, les coups même avec un égal sang-froid. Délaissant leur ouvrage, les marmitons prenaient un plaisir particulier à le pourchasser avec force jurons, quand, cédant à une faiblesse qui n'appartient pas qu'aux chiens, il passait son museau affamé par la porte entrouverte de la cuisine chaude, parfumée, tentante. À la chasse, il faisait preuve d'endurance et avait assez bon nez ; mais qu'il lui arrivât d'attraper un lièvre blessé, il le dévorait jusqu'au dernier os, en un coin frais et ombragé, à distance respectueuse de son maître, qui l'injuriait alors dans tous les idiomes connus et inconnus.

Iermolaï appartenait à un de mes voisins, gentilhomme-campagnard de la vieille roche. Ces gens-là dédaignent le gibier — les courlis, comme ils disent — et s'en tiennent aux volatiles domestiques, sauf à certaines occasions telles que fêtes, anniversaires, élections. Les cuisiniers se mettent alors en devoir d'accommoder les oiseaux à longs becs avec l'enthousiasme qui caractérise le Russe quand il ne sait pas très bien ce qu'il fait ; ils inventent des sauces si compliquées que la plupart des invités contemplent avec curiosité les mets qu'on leur présente, sans se risquer toutefois à y faire honneur. Iermolaï avait ordre de pourvoir la table seigneuriale de deux ou trois couples de perdrix ou de coqs de bruyère par mois ; moyennant quoi, il lui était permis de vivre à sa guise. On avait renoncé à voir en lui autre chose qu'un « propre à rien ». Bien entendu, on ne lui fournissait ni le plomb ni la poudre, d'après le principe qu'il professait lui-même à l'égard de son chien.

Iermolaï était une curieuse nature : insouciant comme l'oiseau, passablement bavard, distrait, gauche d'allure, grand amateur de boisson. Il ne pouvait demeurer longtemps au même endroit ; il se dandinait et traînait les pieds en marchant ; mais, tout en se dandinant et en traînant les pieds, il abattait ses cinquante verstes en vingt-quatre heures ! Il lui arrivait les aventures les plus inattendues : couchant dans les marécages, sur les arbres, sur les toits, sous les ponts, enfermé plus d'une fois au grenier, à la cave ou dans une grange, privé de son fusil, de son chien, de ses vêtements les plus indispensables, battu parfois cruellement, on le voyait au bout d'un certain temps réapparaître avec ses habits, son fusil et son chien. Il se montrait toujours, sinon gai, du moins d'assez belle humeur. Bref, un original.

Iermolaï aimait à deviser avec les « braves gens », surtout en prenant un petit verre ; mais au bout d'un moment il se levait et partait. — « Où diable t'en vas-tu donc ? Il fait nuit. — À Tchaplino. — Quelle idée de te traîner jusqu'à Tchaplino, à dix bonnes verstes d'ici ! — Je m'en vais coucher chez mon compère Sophron. — Reste plutôt coucher ici. — Non, merci, je ne veux pas. » Et Iermolaï, suivi de son chien, s'en allait dans la nuit, par les taillis et les fondrières. Et le compère Sophron n'était pas toujours disposé à l'accueillir ; parfois même il lui infligeait une bonne correction, histoire de lui apprendre à déranger les honnêtes gens !

Mais aussi personne, à l'époque des grandes eaux, ne faisait de plus belles pêches que Iermolaï ; personne ne savait mieux que lui attraper les écrevisses à la main, éventer le gibier, attirer les cailles, apprivoiser l'autour, dénicher les rossignols à « pipeau de Sylvain » ou « envol de coucou ». Toutefois il ne s'entendait pas à dresser les chiens : la patience lui manquait.

Il avait une femme qu'il allait voir toutes les semaines. Elle habitait une cahute à moitié démolie, menait une vie misérable, ne savait jamais la veille si elle pourrait manger le lendemain : son lot était en vérité peu enviable. Iermolaï, cet être insouciant et bonasse, prenait chez lui un air rébarbatif, se montrait grossier et cruel envers sa femme. Ne sachant comment lui complaire, la malheureuse tremblait sous son regard, lui achetait de son dernier sou un peu d'eau-de-vie et le couvrait avec déférence de son propre touloupe lorsque majestueusement étendu sur le poêle, il s'endormait d'un sommeil de preux. J'eus moi-même plus d'une occasion de constater en lui un indice d'humeur farouche : je n'aimais pas l'expression de son visage quand il achevait d'un coup de dent un oiseau blessé. Mais Iermolaï ne demeurait jamais plus d'un jour chez lui ; chez les autres, il redevenait « Iermolka », *la Calotte*, comme on l'avait surnommé à cent verstes à la ronde, et comme parfois il se désignait aussi lui-même. Le dernier des gens de service avait conscience de sa supériorité envers ce vagabond et, peut-être à cause de cela, le traitait amicalement. Dans les premiers temps, les paysans avaient pris plaisir à le chasser, à le traquer comme lièvre aux champs ; mais, ayant une bonne fois reconnu en lui un original, ils le laissèrent errer à la grâce de Dieu, lui donnant même du pain et liant conversation avec lui.

Tel était l'homme en compagnie duquel je m'en allais à la croule dans un grand bois de bouleaux, sur les bords de l'Ista.

Ivan Tourgueniev, *Mémoires d'un chasseur* (chap. 2), trad. de Pierre Moinot, Gallimard, 1953.

• EN CAMARGUE

(texte n° 3)

I

LE DÉPART

Grande rumeur au château. Le messager vient d'apporter un mot du garde, moitié en français, moitié en provençal, annonçant qu'il y a eu déjà deux ou trois beaux passages de *Galéjons*, de *Charlottines*, et que les *oiseaux de prime* non plus ne manquaient pas.

« Vous êtes des nôtres ! » m'ont écrit mes aimables voisins ; et ce matin, au petit jour de cinq heures, leur grand break, chargé de fusils, de chiens, de victuailles, est venu me prendre au bas de la côte. Nous voilà roulant sur la route d'Arles, un peu sèche, un peu dépouillée, par ce matin de décembre où la verdure pâle des oliviers est à peine visible, et la verdure crue des chênes-kermès un peu trop hivernale et factice. Les étables se remuent. Il y a des réveils avant le jour qui allument la vitre des fermes ; et dans les découpures de pierre de l'abbaye de Montmajour, des orfraies encore engourdies de sommeil battent de l'aile parmi les ruines. Pourtant nous croisons déjà le long des fossés de vieilles paysannes qui vont au marché au trot de leurs bourriquets. Elles viennent de la Ville-des-Baux. Six grandes lieues pour s'asseoir une heure sur les marches de Saint-Trophyme et vendre des petits paquets de simples ramassés dans la montagne !...

[...] Le Mas-de-Giraud est une vieille ferme des seigneurs de Barbentane, où nous entrons pour attendre le garde qui doit venir nous chercher. Dans la haute cuisine, tous les hommes de la ferme, laboureurs, vignerons, bergers, bergerots, sont attablés, graves, silencieux, mangeant lentement, et servis par les femmes qui ne mangeront qu'après. Bientôt le garde paraît avec la carriole. Vrai type à la Fenimore, trappeur de terre et d'eau, garde-pêche et garde-chasse, les gens du pays l'appellent *lou roudeïroù* (le rôdeur), parce qu'on le voit toujours, dans les brumes d'aube ou de jour tombant, caché pour l'affût parmi les roseaux, ou bien immobile dans son petit bateau, occupé à surveiller ses nasses sur les *clairs* (les étangs) et les *roubines* (canaux d'irrigation). C'est peut-être ce métier d'éternel guetteur qui le rend aussi silencieux, aussi concentré. Pourtant, pendant que la petite carriole chargée de fusils et de paniers marche devant nous, il nous donne des nouvelles de la chasse, le nombre des passages, les quartiers où les oiseaux voyageurs se sont abattus. Tout en causant, on s'enfonce dans le pays.

Les terres cultivées dépassées, nous voici en pleine Camargue sauvage. À perte de vue, parmi les pâturages, des marais, des roubines luisent dans les salicornes. Des bouquets de tamaris et de roseaux font des îlots comme sur une mer calme. Pas d'arbres hauts. L'aspect uni, immense, de la plaine, n'est pas troublé. De loin en loin, des parcs de bestiaux étendent leurs toits bas presque au ras de terre. Des troupeaux dispersés, couchés dans les herbes salines, ou cheminant serrés autour de la cape rousse du berger, n'interrompent pas la grande ligne uniforme, amoindris qu'ils sont par cet espace infini d'horizons bleus et de ciel ouvert. Comme de la mer unie malgré ses vagues, il se dégage de cette plaine un sentiment de solitude, d'immensité, accru encore par le mistral qui souffle sans relâche, sans obstacle, et qui, de son haleine puissante, semble aplanir, agrandir le paysage. Tout se courbe devant lui. Les moindres arbustes gardent l'empreinte de son passage, en restent tordus, couchés vers le sud dans l'attitude d'une fuite perpétuelle...

II

LA CABANE

Un toit de roseaux, des murs de roseaux desséchés et jaunes, c'est la cabane. Ainsi s'appelle notre rendez-vous de chasse. Type de la maison camarguaise, la cabane se compose d'une unique pièce, haute, vaste, sans fenêtre, et prenant jour par une porte vitrée qu'on ferme le soir avec des volets pleins. Tout le long des grands murs crépis, blanchis à la chaux, des râteliers attendent les fusils, les carniers, les bottes de marais. Au fond, cinq ou six berceaux sont rangés autour d'un vrai mât planté au sol et montant jusqu'au toit auquel il sert d'appui. La nuit, quand le mistral souffle et que la maison craque de partout, avec la mer lointaine et le vent qui la rapproche, porte son bruit, le continue en l'enflant, on se croirait couché dans la chambre d'un bateau. [...]

Bientôt un piétinement immense se rapproche, pareil à un bruit de pluie. Des milliers de moutons, rappelés par les bergers, harcelés par les chiens, dont on entend le galop confus et l'haleine haletante, se pressent vers les parcs, peureux et indisciplinés. Je suis envahi, frôlé, confondu dans ce tourbillon de laines frisées, de bêlements ; une houle véritable où les bergers semblent portés avec leur ombre par des flots bondissants... Derrière les troupeaux, voici des pas connus, des voix joyeuses. La cabane est pleine, animée, bruyante. Les sarments flambent. On rit d'autant plus qu'on est plus las. C'est un étourdissement d'heureuse fatigue, les fusils dans un coin, les grandes bottes jetées pêle-mêle, les carniers vides, et à côté les plumages roux, dorés, verts, argentés, tout tachés de sang. La table est mise ; et dans la fumée d'une bonne soupe d'anguilles, le silence se fait, le grand silence des appétits robustes, interrompu seulement par les grognements féroces des chiens qui lapent leur écuelle à tâtons devant la porte...

La veillée sera courte. Déjà près du feu, clignotant lui aussi, il ne reste plus que le garde et moi. Nous causons, c'est-à-dire nous nous jetons de temps en temps l'un à l'autre des demi-mots à la façon des paysans, de ces interjections presque indiennes, courtes et vite éteintes comme les dernières étincelles des sarments consumés. Enfin le garde se lève, allume sa lanterne, et j'écoute son pas lourd qui se perd dans la nuit...

III

À L'ESPÈRE ! (À L'AFFÛT !)

L'*espère* ! quel joli nom pour désigner l'affût, l'attente du chasseur embusqué, et ces heures indécises où tout attend, *espère*, hésite entre le jour et la nuit. L'affût du matin un peu avant le lever du soleil, l'affût du soir au crépuscule. C'est le dernier que je préfère, surtout dans ces pays marécageux où l'eau des *clairs* garde si longtemps la lumière...

Quelquefois on tient l'affût dans le *negochin* (le nayechien), un tout petit bateau sans quille étroit roulant au moindre mouvement. Abrité par les roseaux, le chasseur guette les canards du fond de sa barque, que dépassent seulement la visière d'une casquette, le canon du fusil et la tête du chien flairant le vent, happant les moustiques, ou bien de ses grosses pattes étendues penchant tout le bateau d'un côté et le remplissant d'eau. Cet affût-là est trop compliqué pour mon inexpérience. Aussi, le plus souvent, je vais à l'*espère* à pied, barbotant en plein marécage avec d'énormes bottes taillées dans toute la longueur du cuir. Je marche lentement, prudemment, de peur de m'envaser. J'écarte les roseaux pleins d'odeurs saumâtres et de sauts de grenouilles...

Enfin, voici un îlot de tamaris, un coin de terre sèche où je m'installe. Le garde, pour me faire honneur, a laissé son chien avec moi ; un énorme chien des Pyrénées à grande toison blanche, chasseur et pêcheur de premier ordre, et dont la présence ne laisse pas que de m'intimider un peu. Quand une poule d'eau passe à ma portée, il a une certaine façon ironique de me regarder en rejetant en arrière, d'un coup de tête à l'artiste, deux longues oreilles flasques qui lui pendent dans les yeux ; puis des poses à l'arrêt, des frétillements de queue, toute une mimique d'impatience pour me dire :

— Tire... tire donc !

Je tire, je manque. Alors, allongé de tout son corps, il bâille et s'étire d'un air las, découragé, et insolent...

Eh bien ! oui, j'en conviens, je suis un mauvais chasseur. L'affût, pour moi, c'est l'heure qui tombe, la lumière diminuée, réfugiée dans l'eau, les étangs qui luisent, polissant jusqu'au ton de l'argent fin la teinte grise du ciel assombri. J'aime cette odeur d'eau, ce frôlement mystérieux des insectes dans les roseaux, ce petit murmure des longues feuilles qui frissonnent. De temps en temps, une note triste passe et roule dans le ciel comme un ronflement de conque marine. C'est le butor qui plonge au fond de l'eau son bec immense d'oiseau-pêcheur et souffle... rrrouououou ! Des vols de grues filent sur ma tête. J'entends le froissement des plumes, l'ébouriffement du duvet dans l'air vif, et jusqu'au craquement de la petite armature surmenée. Puis, plus rien. C'est la nuit, la nuit profonde, avec un peu de jour resté sur l'eau...

Tout à coup j'éprouve un tressaillement, une espèce de gêne nerveuse, comme si j'avais quelqu'un derrière moi. Je me retourne, et j'aperçois le compagnon des belles nuits, la lune, une large lune toute ronde, qui se lève doucement, avec un mouvement d'ascension d'abord très sensible, et se ralentissant à mesure qu'elle s'éloigne de l'horizon.

Déjà un premier rayon est distinct près de moi, puis un autre un peu plus loin... Maintenant tout le marécage est allumé. La moindre touffe d'herbe a son ombre. L'affût est fini, les oiseaux nous voient : il faut rentrer. On marche au milieu d'une inondation de lumière bleue, légère, poussiéreuse ; et chacun de nos pas dans les *clairs*, dans les *roubines*, y remue des tas d'étoiles tombées et des rayons de lune qui traversent l'eau jusqu'au fond.

Alphonse Daudet,
Lettres de mon moulin, chap. 1, 2 et 3 (extraits)
(disponible dans la même collection, n° 6038).

• RABOLIOT

(texte n° 4)

— À nous deux, Aïcha ! dit Raboliot.

Son excitation venait de croître soudain, de s'enfler en un sursaut puissant : il avait du vice, le vieux ! C'était bien de lui, arriéze, cette idée de lâcher Dévorant, un policier belge au poil jaune, au mufle charbonneux, une bête féroce qui pouvait étrangler un braco ! Tournefier n'aurait jamais fait ça pour une simple histoire de collets, pour rien. Raboliot, heureux quoi qu'il dût arriver, suivait par la pensée les deux hommes rentrant au bois, y rejoignant les gardes et ce grand carcan de Volat ; et ses souhaits les accompagnaient avec une bonhomie sincère : « Bonne chance, petits ! Raboliot vous emmerde. »

Il ne gaspilla plus son temps. En quelques pas il traversa l'allée, toucha de la main un grillage. C'était là, juste au-dessus des bassins de tri : un grand champ de mauvaise culture, envahi d'herbes, où l'on avait laissé pourrir quelques fanes de sarrasin. Il enfourcha la clôture, et pour aller plus vite passa Aïcha dans ses bras ; elle frémissait, les narines battantes :

— Allez ! Allez !

Il l'avait lâchée ; elle était partie à fond de train, galopant le long du grillage. Il y eut aussitôt, en tous sens, des piétinements menus, affolés, et tout à coup un choc grattant de griffes, un cri effilé, suraigu. Raboliot marcha vers sa chienne, noire et boulée contre le treillis, les ongles plantés et raides en terre, un lapin pantelant dans la gueule.

— Allez ! Allez !

Aïcha desserra les mâchoires. Elle repartait déjà, pendant que Raboliot, pattes d'une main, oreilles de l'autre, disloquait d'une traction appuyée la colonne vertébrale du lapin. Et dans l'instant cela recommença : les fuites désordonnées, le choc sourd de la chienne se ruant contre le grillage, freinant des pattes et labourant le sol, et le cri suraigu du lapin capturé. Raboliot ne courait pas : il avait fort à faire pour soutenir l'allure d'Aïcha ; mais il prévoyait chaque fois le point juste où elle allait bondir ; dès que les crocs entraient dans le poil, la main de Raboliot était là. Dans sa musette de toile, les petits cadavres chauds s'amoncelaient ; la bretelle commençait de lui tirer fort sur la nuque.

— Allez ! Allez !

Une nuit d'or, une besogne bien faite ! La petite noire avait le diable dans la peau. Étrangement muette, elle virevoltait, fonçait soudain en flèche vertigineuse, bondissait à travers le champ ainsi qu'un ténébreux feu-follet. De temps en temps, par-dessus l'épaule, Raboliot regardait vers l'ouest, vers la maison du garde et le bois de la Sauvagère. Et cependant ses mains n'arrêtaient pas de travailler, arrachaient à la gueule d'Aïcha les lapins qui gigotaient, empoignaient les oreilles et les pattes, et tiraient : les vertèbres fragiles craquaient, la bête pesait, inerte et molle, comme une loque tiède. Au sac ! Il y en avait déjà sept ou huit, et la noire galopait toujours, et Raboliot l'encourageait toujours, d'une voix basse et pressante, poussée raide entre les dents :

— Allez ! Allez !

Contre sa hanche, le grillage, quelquefois, tremblait. Les petits cris, pointus comme vrille, retentissaient de-çà, de-là. Et Raboliot murmurait, exultant : « Si ça couine, bon d'la, si ça couine ! » Qu'est-ce qu'il y avait, qu'est-ce qu'il pouvait y avoir de meilleur au monde ? Il chassait dans la nuit, avec pour compagnon le halètement chaud d'Aïcha, sa forme ardente et sombre et ses bonds meurtriers. Chaque piaulement de détresse lui pénétrait au fond de l'être, lui faisait basculer le cœur. Au sac ! Au sac ! Il gardait contre ses paumes la sensation de ce poil palpitant, il continuait d'entendre le craquement de ces os grêles, d'éprouver dans sa chair à lui le petit déclenchement qui les disloquait tout à coup, les arrachait les uns des autres. De la joie ? C'était bien autre chose ! Une saoulerie capiteuse, un vertige de bonheur qui lui enflait la poitrine, qui lui montait en rire à la gorge. Et les gaillards, là-bas, qui fouillaient les taillis de la Sauvagère, qui le guettaient à la Sauvagère ! Demain matin, pas plus tard, ils verraient dans ce champ les empreintes d'une vaillante petite chienne, les traces griffues de ses élans, — allez donc, allez, Aïcha ! — et des touffes de poils gris collées encore aux mailles du grillage. « Et c'est moi qui suis venu : c'est bien moi, moi, Raboliot ; mais va-t'en voir demain si je reviens, Volat ! »

Au lointain du bois, vers l'ouest, un jappement rauque éclata tout à coup, se brisa en glapissement de chien battu. Raboliot riait : « Des chiens ! Ils appellent ça des chiens ! » Sa main flattait les longs poils d'Aïcha, ses flancs moites qui haletaient : « Nous en avons pris douze, ma belle ! Nous avons rudement bien travaillé ! » Elle levait vers lui sa tête fine, ses yeux tendres, mouillés d'amitié. Il lui abandonna ses mains, les lui laissa lécher un instant.

— En route !

Il allait à présent, au plus vite, gagner la ferme du Bois-Sabot. Il réveillerait Berlaisier, Sarcelotte, et leur dirait les mots qu'il fallait dire. Pour Aïcha un seul mot suffisait, rien qu'une syllabe, chuchotée en lui montrant la route : « Va ! » Et elle rentrerait seule, poussée par le vouloir du maître : elle avait l'habitude ; dans un quart d'heure, elle serait à sa niche.

Raboliot s'étira, tendit son front au toucher de l'air froid, ouvrant le col, lui offrit sa poitrine. Le vertige qui l'étourdissait tomba ; et il sentit en lui, aussitôt, son vrai plaisir, orgueilleux et dur. Il se tourna vers le bois de la Sauvagère ; et des pensées lui venaient une à une qu'il sentait s'échapper de lui, qu'il voyait s'enfoncer aux ténèbres, droit vers le bois, ainsi que des pierres lancées roide : « J'ai chassé ; j'ai bien chassé. Les lapins que j'ai tués font craquer ma musette et pèsent à mon épaule... Et maintenant je m'en vais, parce que je veux m'en aller, parce que j'ai fini ce que je voulais finir. »

Maurice Genevoix, *Raboliot*, 1re partie, IV,
Grasset, 1925, rééd. Le Livre de Poche, n° 692.

• BÉCASSES BRÛLÉES AU RHUM À LA BACQUOISE

(recette de cuisine)

(texte n° 5)

« Les bécasses, après avoir été dressées comme il convient, embrochées sous les ailes afin de ne pas léser les intestins, sont placées devant un feu assez vif. La viande de ces oiseaux, de même que celle des palombes, a besoin d'être saisie si l'on veut qu'elle conserve son fumet.

Dans la lèchefrite, qui doit recevoir le jus, vous placez une rôtie de pain fortement frottée d'ail ; cette rôtie, manière d'éponge, boit les déjections et le jus de l'animal.

Les bécasses cuites à point — la chair doit être légèrement rouge — on les livre au dépeceur qui, après avoir enlevé délicatement les quatre membres, retire avec une cuiller tout l'intérieur ; il cherche soigneusement le fiel afin de l'ôter, et, ayant écrasé avec le dos d'une fourchette les intestins dans un plat creux, il les étend sur la rôtie ; poivrez, salez, et videz sur le tout un bon verre de vieux rhum. Aussitôt la liqueur enflammée, pendant que l'opérateur — ordinairement le plus vieux chasseur — agite d'une main le rhum avec la cuiller, afin d'augmenter la violence de la flamme, de l'autre main, armée de la fourchette, il prend et promène chaque morceau de gibier sur la flamme bleuâtre.

Le sacrifice accompli, la rôtie divisée, placée sous chaque quartier, est aussitôt passée aux gourmets qui se disputent les dernières gouttes de cette sauce merveilleuse.

L'accessoire dans ce plat vaut mieux que le principal. C'est d'ailleurs, un mets on ne peut plus délicat et savoureux. »

Alexandre Dumas, *Grand dictionnaire de cuisine*,
cité par P. Verdet, *Passion Bécasse*,
Alex Deucalion, J. & D. éditions, 1990.

• AUTOMNE

3. Le pigeon municipal

(texte n° 6)

Les itinéraires que suivent les oiseaux quand ils émigrent — vers le sud ou vers le nord, en automne ou au printemps — traversent rarement la ville. Leurs vols coupent très haut le ciel, au-dessus de l'étendue striée des champs et le long de la lisière des bois, puis ils semblent suivre la courbe sinueuse d'un fleuve, ou bien le creux d'une vallée, ou bien encore les routes invisibles du vent. Mais ils virent au large dès que les chaînes de toits d'une ville surgissent devant eux.

Pourtant, une fois, un vol de bécasses d'automne apparut dans le ruban de ciel d'une rue. Et Marcovaldo, qui ne circulait toujours que le nez en l'air, fut bien le seul à s'en apercevoir. Il était à ce moment sur un triporteur et, en voyant les oiseaux, il se mit à pédaler plus fort comme s'il se lançait à leur poursuite, pris soudain d'une envie de chasser, bien qu'il n'eût jamais épaulé d'autre fusil que celui du soldat.

En pédalant ainsi, sans perdre des yeux le vol des bécasses, il se trouva parmi les voitures au beau milieu d'un carrefour, le feu étant au rouge, et manqua de peu d'être embouti. Tandis qu'un agent, au visage cramoisi, inscrivait ses nom et adresse sur son calepin, Marcovaldo chercha encore du regard toutes ces ailes dans le ciel, mais elles avaient disparu.

À son travail, à la S.B.A.V., sa contravention lui fut aigrement reprochée :

— Alors, tu sais même pas ce que veut dire un feu rouge ! lui lança M. Viligelmo, le chef magasinier. Mais qu'est-ce que tu regardais donc, tête de linotte ?

— Un vol de bécasses, que je regardais..., dit Marcovaldo.

— Quoi ?

Les yeux de M. Viligelmo, qui était un vieux chasseur, se mirent à briller. Marcovaldo raconta tout.

— Samedi, je prends mon fusil et mon chien, dit le chef

magasinier, tout guilleret, oubliant ses reproches. Leur passage a déjà commencé, là-haut sur la colline. C'étaient sûrement des bécasses effrayées par les chasseurs de là-haut, et qui se sont repliées sur la ville...

Durant toute la journée, la cervelle de Marcovaldo tourna, tourna comme un moulin : « Si samedi, comme c'est probable, la colline est pleine de chasseurs, qui sait combien de bécasses descendront en ville et, si je sais y faire, dimanche je mangerai de la bécasse rôtie. »

Le grand immeuble où habitait Marcovaldo avait un toit-terrasse, avec des fils de fer pour étendre le linge. Marcovaldo y monta avec trois de ses gosses, un bidon de glu, un pinceau et un sac de maïs. Cependant que les gosses répandaient un peu partout les grains de maïs, Marcovaldo, pinceau en main, enduisait de glu les parapets, les fils de fer, les corniches du toit. Il en mit tellement que Filippetto, en jouant, manqua de peu d'y demeurer collé.

Cette nuit-là, Marcovaldo rêva d'un toit jonché de bécasses engluées et frémissantes. Domitilla, sa femme, plus gourmande et paresseuse que lui, rêva de canards tout rôtis, posés sur les corniches. Sa fille, Isolina, rêvait romantiquement à des colibris dont elle aurait orné son chapeau. Michelino rêva qu'il y trouvait une cigogne.

Le lendemain, d'heure en heure, l'un des gosses allait jeter un coup d'œil sur le toit : il mettait seulement le nez à la lucarne afin que, dans le cas où « elles » s'apprêteraient à se poser, « elles » ne prissent pas peur ; puis il redescendait donner des nouvelles. Les nouvelles n'étaient jamais bonnes. Jusqu'à ce que, vers midi, Pietruccio revienne en criant :

— Papa, « elles » sont là ! Viens vite !

Marcovaldo monta avec un sac. Collé à la glu, il y avait là un pauvre pigeon, un de ces pigeons gris citadins, habitués à la foule et au vacarme des places. Voletant tout autour de lui, d'autres pigeons le contemplaient tristement, cependant qu'il cherchait à détacher ses ailes de la bouillie visqueuse sur laquelle il s'était malencontreusement posé.

Marcovaldo et sa famille étaient occupés à dépiauter les petits os de ce pigeon fibreux et maigre, qu'on avait fait rôtir, quand ils entendirent frapper à la porte.

C'était la bonne de la propriétaire de l'immeuble.

— Madame vous demande ! Venez tout de suite !

Fort inquiet, car il avait six mois de retard pour son loyer et craignait d'être expulsé, Marcovaldo gagna l'appartement de la propriétaire, à l'entresol. À peine entré dans le petit salon, il vit qu'il s'y trouvait déjà un visiteur : l'agent au visage cramoisi.

— Approchez, Marcovaldo, dit la propriétaire. On m'apprend qu'il y a quelqu'un, sur notre terrasse, qui donne la chasse aux pigeons de la municipalité. Êtes-vous au courant ?

Marcovaldo en eut froid dans le dos.

— Madame ! Madame ! cria à ce moment une voix de femme.

— Qu'y a-t-il, Guendalina ?

La laveuse entra :

— Je suis allée étendre le linge sur la terrasse, et y m'est resté tout collé sur les fils de fer. J'ai tiré dessus pour le détacher, mais y se déchire. Tout est abîmé ! Comment que ça se fait ?

Marcovaldo se passait une main sur l'estomac, comme s'il n'arrivait pas à digérer.

Italo Calvino, *Marcovaldo ou les saisons en ville*, 1958, trad. Roland Stragliati, rééd. 1984, Julliard.

LA CHASSE ET L'AMOUR

La métaphore de la chasse par rapport aux événements de l'amour (sentiments, comportements, ou acte sexuel) est présente dans toute l'œuvre de Maupassant, et en particulier dans les contes. On ne peut s'empêcher de faire un parallèle avec l'utilisation qu'en ont faite certains cinéastes comme Luis Buñuel dans *Le Journal d'une femme de chambre*, où le viol de la petite Claire est symbolisé par un sanglier poursuivant un lapin dans la forêt. Mais c'est avant tout à la scène de chasse de *La Règle du jeu* [1] de Jean Renoir qu'on pense en premier lieu. Le choix des images reliant le chasseur et sa proie comme la femme et l'homme, l'agonie de la bête comme celle de l'amour rappellent l'écriture de Maupassant. De plus, cette séquence recèle de nombreux éléments qui appartiennent à une vision de la vie proche de celle de l'écrivain. Dans un autre registre, Jean Renoir avait adapté la nouvelle de Maupassant *Une partie de campagne*, en s'inspirant fortement des tableaux impressionnistes de son père Auguste Renoir *(La Balançoire, Le Déjeuner sur l'herbe, Les Canotiers).* C'est dire la proximité de leurs choix artistiques.

La Règle du jeu (Jean Renoir). Synopsis de la séquence 10 : la partie de chasse.

> « *Extérieur jour, bois :* Partie de chasse. Les chasseurs se mettent en place, les rabatteurs sont en mouvement, massacre d'oiseaux et de lapins, ramassage du gibier.

1. Cf. *L'Avant-scène cinéma*, n° 52, octobre 1965.

Geneviève attire Robert à l'écart, Christine essaie une lunette d'approche et les surprend.
Fondu au noir. »

Quelques éléments proches de l'écriture de Maupassant

Dans cette séquence de la chasse, la dimension de plaisir liée à la proximité de la mort trouve son « climax » dans le plan d'agonie du lapin, si célèbre. Elle représente une cruelle étude de milieu, où le vernis mondain craque. La tuerie animale est parallèle à l'amour qui se meurt. C'est une séquence où la compassion n'a guère de place. Il y a aussi la métaphore annonciatrice de la fin de Jurieu, qui mourra plus tard d'un coup de fusil, dans ces répliques :

« *Jurieu :* — Tu viens avec moi ?
Octave : — Là-bas ? C'est très dangereux, mon vieux. Ils vont nous prendre pour des lapins ! »

L'agonie du lapin est aussi impitoyablement montrée que le visage défait de Geneviève sous l'œil ennuyé de Robert. La lunette d'approche est un relais de la caméra (cf. le regard de Maupassant). Elle permet à Christine d'isoler dans son champ visuel tout d'abord un écureuil (suggestion de Berthelin : « ... sans l'intimider, vous vivez toute sa vie intime »), puis le baiser de Geneviève et de Jurieu, qui est en fait un baiser de rupture. Ce regard de Christine est une interprétation de la chose vue, et non l'expression de la vérité ; de même que Renoir (ou Maupassant dans ses contes) utilise, interprète la chasse en lui donnant une forme, un sens spécifiques liés au contexte.

MAUPASSANT, PEINTRE DU TERROIR

Même si Maupassant s'est défendu par la suite de toute contrainte d'école littéraire (« Je ne crois pas plus au naturalisme qu'au romantisme. Ces mots à mon sens ne signifient absolument rien et ne servent qu'à des querelles de tempéraments opposés. »), nous avons vu, dans la préface, toute l'admiration qu'il vouait à Flaubert, qu'il appelait « le Maître », ou, plus familièrement, « le Vieux ».

Le naturalisme préconisait l'observation minutieuse et la restitution fidèle des menus faits de la vie quotidienne. On pourra comparer, dans cette optique, la scène de la noce, dans Madame Bovary [1], *avec un conte comme* Farce normande.

• LA NOCE

(texte n° 7)

Les conviés arrivèrent de bonne heure dans des voitures, carrioles à un cheval, chars à bancs à deux roues, vieux cabriolets sans capote, tapissières à rideaux de cuir, et les jeunes gens des villages les plus voisins dans des charrettes où ils se tenaient debout, en rang, les mains appuyées sur les ridelles pour ne pas tomber, allant au trot et secoués dur. Il en vint

1. Disponible dans la même collection, n° 6033.

de dix lieues loin, de Goderville, de Normanville et de Cany. On avait invité tous les parents des deux familles ; on s'était raccommodé avec les amis brouillés ; on avait écrit à des connaissances perdues de vue depuis longtemps.

De temps à autre, on entendait des coups de fouet derrière la haie ; bientôt la barrière s'ouvrait : c'était une carriole qui entrait. Galopant jusqu'à la première marche du perron, elle s'y arrêtait court, et vidait son monde, qui sortait par tous les côtés en se frottant les genoux et en s'étirant les bras. Les dames, en bonnet, avaient des robes à la façon de la ville, des chaînes de montre en or, des pèlerines à bouts croisés dans la ceinture, ou de petits fichus de couleur attachés dans le dos avec une épingle, et qui leur découvraient le cou par derrière. Les gamins, vêtus pareillement à leurs papas, semblaient incommodés par leurs habits neufs (beaucoup même étrennèrent ce jour-là la première paire de bottes de leur existence), et l'on voyait à côté d'eux, ne soufflant mot, dans la robe blanche de sa première communion rallongée pour la circonstance, quelque grande fillette de quatorze ou seize ans, leur cousine ou leur sœur aînée sans doute, rougeaude, ahurie, les cheveux gras de pommade à la rose, et ayant bien peur de salir ses gants. Comme il n'y avait point assez de valets d'écurie pour dételer toutes les voitures, les messieurs retroussaient leurs manches et s'y mettaient eux-mêmes. Suivant leur position sociale différente, ils avaient des habits, des redingotes, des vestes, des habits-vestes ; — bons habits, entourés de toute la considération d'une famille, et qui ne sortaient de l'armoire que pour les solennités ; redingotes à grandes basques flottant au vent, à collet cylindrique, à poches larges comme des sacs ; vestes de gros drap, qui accompagnaient ordinairement quelque casquette cerclée de cuivre à sa visière ; habits-vestes très courts, ayant dans le dos deux boutons rapprochés comme une paire d'yeux, et dont les pans semblaient avoir été coupés à même un seul bloc par la hache du charpentier. Quelques-uns encore (mais ceux-là, bien sûr, devaient dîner au bas bout de la table) portaient des blouses de cérémonie, c'est-à-dire dont le col était rabattu sur les épaules, le dos froncé à petits plis et la taille attachée très bas par une ceinture cousue.

Et les chemises sur les poitrines bombaient comme des cuirasses ! Tout le monde était tondu à neuf, les oreilles s'écartaient des têtes, on était rasé de près ; quelques-uns même, qui s'étaient levés dès avant l'aube, n'ayant pas vu clair à se faire la barbe, avaient des balafres en diagonale sous le nez, ou, le long des mâchoires, des pelures d'épiderme larges comme des écus de trois francs, et qu'avait enflammées le grand air pendant la route, ce qui marbrait un peu de plaques roses toutes ces grosses faces blanches épanouies.

La mairie se trouvant à une demi-lieue de la ferme, on s'y rendit à pied, et l'on revint de même, une fois la cérémonie faite à l'église. Le cortège d'abord uni comme une seule écharpe de couleur, qui ondulait dans la campagne, le long de l'étroit sentier serpentant entre les blés verts, s'allongea bientôt et se coupa en groupes différents, qui s'attardaient à causer. Le ménétrier allait en avant avec son violon empanaché de rubans à la coquille ; les mariés venaient ensuite, les parents, les amis tout au hasard ; et les enfants restaient derrière, s'amusant à arracher les clochettes des brins d'avoine, ou à se jouer entre eux, sans qu'on les vît. La robe d'Emma, trop longue, traînait un peu par le bas ; de temps à autre, elle s'arrêtait pour la tirer, et alors, délicatement, de ses doigts gantés, elle enlevait les herbes rudes avec les petits dards des chardons, pendant que Charles, les mains vides, attendait qu'elle eût fini. Le père Rouault, un chapeau de soie neuf sur la tête et les parements de son habit noir lui couvrant les mains jusqu'aux ongles, donnait le bras à Mme Bovary mère. Quant à Bovary père, qui, méprisant au fond tout ce monde-là, était venu simplement avec une redingote à un rang de boutons d'une coupe militaire, il débitait des galanteries d'estaminet à une jeune paysanne blonde. Elle saluait, rougissait, ne savait que répondre. Les autres gens de la noce causaient de leurs affaires ou se faisaient des niches dans le dos, s'excitant d'avance à la gaieté ; et, en y prêtant l'oreille, on entendait toujours le crin-crin du ménétrier qui continuait à jouer dans la campagne. Quand il s'apercevait qu'on était loin derrière lui, il s'arrêtait à reprendre haleine, cirait longuement de colophane son archet, afin que les cordes grinçassent mieux, et puis il se remettait à marcher, abaissant et levant tour à tour le manche de son violon, pour se bien marquer la mesure à lui-même. Le bruit de l'instrument faisait partir de loin les petits oiseaux.

C'était sous le hangar de la charretterie que la table était dressée. Il y avait dessus quatre aloyaux, six fricassées de poulets, du veau à la casserole, trois gigots et, au milieu, un joli cochon de lait rôti, flanqué de quatre andouilles à l'oseille. Aux angles, se dressait l'eau-de-vie, dans des carafes. Le cidre doux en bouteilles poussait sa mousse épaisse autour des bouchons et tous les verres, d'avance, avaient été remplis de vin jusqu'au bord. De grands plats de crème jaune, qui flottaient d'eux-mêmes au moindre choc de la table, présentaient, dessinés sur leur surface unie, les chiffres des nouveaux époux en arabesques de nonpareille. On avait été chercher un pâtissier à Yvetot pour les tourtes et les nougats. Comme il débutait dans le pays, il avait soigné les choses ; et il apporta, lui-même, au dessert, une pièce montée qui fit pousser des cris. À la base, d'abord, c'était un carré de carton bleu figurant un temple avec portiques, colonnades et statuettes de stuc tout autour, dans des niches constellées d'étoiles en papier doré ; puis se tenait au second étage un donjon en gâteau de Savoie, entouré de menues fortifications en angélique, amandes, raisins secs, quartiers d'oranges ; et enfin, sur la plate-forme supérieure, qui était une prairie verte où il y avait des rochers avec des lacs de confiture et des bateaux en écales de noisettes, on voyait un petit Amour, se balançant à une escarpolette de chocolat, dont les deux poteaux étaient terminés par deux boutons de rose naturelle, en guise de boules, au sommet.

Jusqu'au soir, on mangea. Quand on était trop fatigué d'être assis, on allait se promener dans les cours ou jouer une partie de bouchon dans la grange, puis on revenait à table. Quelques-uns, vers la fin, s'y endormirent et ronflèrent. Mais, au café, tout se ranima ; alors on entonna des chansons, on fit des tours de force, on portait des poids, on passait sous son pouce, on essayait à soulever les charrettes sur ses épaules, on disait des gaudrioles, on embrassait les dames. Le soir, pour partir, les chevaux gorgés d'avoine jusqu'aux naseaux eurent du mal à entrer dans les brancards ; ils ruaient, se cabraient, les harnais se cassaient, leurs maîtres juraient ou riaient ; et toute la nuit, au clair de la lune, par les routes du pays, il y eut des carrioles emportées qui couraient au grand galop, bondissant dans les saignées, sautant par-dessus les mètres de cailloux, s'accrochant aux talus, avec des femmes qui se penchaient en dehors de la portière pour saisir les guides.

Ceux qui restèrent aux Bertaux passèrent la nuit à boire dans la cuisine. Les enfants s'étaient endormis sous les bancs.

La mariée avait supplié son père qu'on lui épargnât les plaisanteries d'usage. Cependant, un mareyeur de leurs cousins (qui même avait apporté, comme présent de noces, une paire de soles) commençait à souffler de l'eau avec sa bouche par le trou de la serrure, quand le père Rouault arriva juste à temps pour l'en empêcher, et lui expliqua que la position grave de son gendre ne permettait pas de telles inconvenances. Le cousin, toutefois, céda difficilement à ces raisons. En dedans de lui-même, il accusa le père Rouault d'être fier, et il alla se joindre dans un coin à quatre ou cinq autres des invités qui, ayant eu par hasard plusieurs fois de suite à table les bas morceaux des viandes, trouvaient aussi qu'on les avait mal reçus, chuchotaient sur le compte de leur hôte et souhaitaient sa ruine à mots couverts.

Gustave Flaubert, *Madame Bovary*.

Quand Maupassant décrit son terroir, il s'intéresse plus aux mentalités et aux comportements des Normands qu'à leur travail ; les paysans, notamment, sont rarement décrits dans leur activité laborieuse. Quoi qu'il en soit, le trait est accusé, la peinture vire presque toujours à la farce, à la bouffonnerie, ou à la cruauté...

Il est d'autres regards d'écrivains sur la condition paysanne : le premier passage, extrait de La Mare au Diable[1] *de George Sand (1846), présente une vision idéalisée du paysan au travail. On percevra aisément le ton très différent du deuxième texte, tiré de* La Terre *de Zola, paru en 1886, soit pratiquement contemporain des* Contes de la Bécasse.

• LE PAYSAN AU TRAVAIL

(texte n° 8)

Mais ce qui attira ensuite mon attention était véritablement un beau spectacle, un noble sujet pour un peintre. À l'autre extrémité de la plaine labourable, un jeune homme de bonne

1. Disponible dans la même collection, n° 6008.

mine conduisait un attelage magnifique : quatre paires de jeunes animaux à robe sombre mêlée de noir fauve à reflets de feu, avec ces têtes courtes et frisées qui sentent encore le taureau sauvage, ces gros yeux farouches, ces mouvements brusques, ce travail nerveux et saccadé qui s'irrite encore du joug et de l'aiguillon et n'obéit qu'en frémissant de colère à la domination nouvellement imposée. C'est ce qu'on appelle des bœufs fraîchement liés. L'homme qui les gouvernait avait à défricher un coin naguère abandonné au pâturage et rempli de souches séculaires, travail d'athlète auquel suffisaient à peine son énergie, sa jeunesse et ses huit animaux quasi indomptés.

Un enfant de six à sept ans, beau comme un ange, et les épaules couvertes, sur sa blouse, d'une peau d'agneau qui le faisait ressembler au petit saint Jean-Baptiste des peintres de la Renaissance, marchait dans le sillon parallèle à la charrue et piquait le flanc des bœufs avec une gaule longue et légère, armée d'un aiguillon peu acéré. Les fiers animaux frémissaient sous la petite main de l'enfant, et faisaient grincer les jougs et les courroies liés à leur front, en imprimant au timon de violentes secousses. Lorsqu'une racine arrêtait le soc, le laboureur criait d'une voix puissante, appelait chaque bête par son nom, mais plutôt pour calmer que pour exciter ; car les bœufs, irrités par cette brusque résistance, bondissaient, creusaient la terre de leurs larges pieds fourchus, et se seraient jetés de côté emportant l'areau à travers champs, si, de la voix et de l'aiguillon, le jeune homme n'eût maintenu les quatre premiers, tandis que l'enfant gouvernait les quatre autres. Il criait aussi, le pauvret, d'une voix qu'il voulait rendre terrible et qui restait douce comme sa figure angélique. Tout cela était beau de force ou de grâce : le paysage, l'homme, l'enfant, les taureaux sous le joug ; et, malgré cette lutte puissante où la terre était vaincue, il y avait un sentiment de douceur et de calme profond qui planait sur toutes choses.

George Sand, *La Mare au Diable.*

• « LE GESTE AUGUSTE DU SEMEUR »

(texte n° 9)

Mais Jean se retourna, et il repartit, du nord au midi, avec son balancement, la main gauche tenant le semoir, la droite fouettant l'air d'un vol continu de semence. Maintenant, il avait devant lui, tout proche, coupant la plaine ainsi qu'un fossé, l'étroit vallon de l'Aigre, après lequel recommençait la Beauce, immense, jusqu'à Orléans. On ne devinait les prairies et les ombrages qu'à une ligne de grands peupliers, dont les cimes jaunies dépassaient le trou, pareilles, au ras des bords, à de courts buissons. Du petit village de Rognes, bâti sur la pente, quelques toitures seules étaient en vue, au pied de l'église, qui dressait en haut son clocher de pierres grises, habité par des familles de corbeaux très vieilles. Et, du côté de l'est, au-delà de la vallée du Loir, où se cachait à deux lieues Cloyes, le chef-lieu du canton, se profilaient les lointains coteaux du Perche, violâtres sous le jour ardoisé. On se trouvait là dans l'ancien Dunois devenu aujourd'hui l'arrondissement de Châteaudun, entre le Perche et la Beauce, et à la lisière même de celle-ci, à cet endroit où les terres moins fertiles lui font donner le nom de Beauce pouilleuse. Lorsque Jean fut au bout du champ, il s'arrêta encore, jeta un coup d'œil en bas, le long du ruisseau de l'Aigre, vif et clair à travers les herbages, et que suivait la route de Cloyes, sillonnée ce samedi-là par les carrioles des paysans allant au marché. Puis, il remonta.

Et toujours, et du même pas, avec le même geste, il allait au nord, il revenait au midi, enveloppé dans la poussière vivante du grain ; pendant que, derrière, la herse, sous les claquements du fouet, enterrait les germes, du même train doux et comme réfléchi. De longues pluies venaient de retarder les semailles d'automne ; on avait encore fumé en août, et les labours étaient prêts depuis longtemps, profonds, nettoyés des herbes salissantes, bons à redonner du blé, après le trèfle et l'avoine de l'assolement triennal. Aussi la peur des gelées prochaines, menaçantes à la suite de ces déluges, faisait-elle se hâter les cultivateurs. Le temps s'était mis brusquement au froid, un temps couleur de suie, sans un souffle de vent, d'une lumière égale et morne sur cet océan de terre immobile. De toutes parts, on semait : il y avait un autre semeur à gauche, à trois cents mètres, un autre plus loin, vers la droite ; et d'autres, d'autres encore s'enfonçaient en face, dans la perspective fuyante des terrains plats. C'étaient de petites silhouettes noires, de simples traits de plus en plus minces, qui se perdaient à des lieues. Mais tous avaient le geste, l'envolée de la semence, que l'on devinait comme une onde de vie autour d'eux. La plaine en prenait un frisson, jusque dans les lointains noyés, où les semeurs épars ne se voyaient plus.

Émile Zola, *La Terre.*

Les artistes contemporains, eux, quand ils parlent de leur terroir, semblent avoir des visées plus ethnographiques, scientifiques. C'est le cas de Pierre-Jakez Hélias, évoquant une noce bretonne (texte n° 10), et de Bernard Alexandre (texte n° 11), dans la région de Maupassant, le pays de Caux. Le ton y est peut-être plus neutre, ce sont plus des témoignages vivants de coutumes d'une époque que des œuvres littéraires à proprement parler. Nous avons choisi aussi une nouvelle de Jean Giono, Solitude de la pitié *(texte n° 12), dont l'anecdote aurait très bien pu être traitée par Maupassant sans cette compassion pour les victimes, sensible dans la chute de l'histoire.*

• UNE NOCE BRETONNE

(texte n° 10)

Quoi qu'il en soit, ce jour-là comme dans les *fricots* d'auberge auxquels j'assisterai dans les années suivantes, je suis stupéfait de voir combien un ventre d'homme ou même de femme peut contenir de nourriture. Tous les plats repassent deux fois, quelquefois trois, et j'ai l'impression que ceux qui rechignent ne sont pas les plus nombreux. On a beau dire qu'on reprend de tout par politesse, encore faut-il avoir assez de place entre les côtes pour le mettre. Soupe, pâté de tête que nous appelons *fromage* (le fromage au lait nous étant parfaitement inconnu), andouilles à la purée, tripes, ragoût, rôti, riz au four, far, gâteau-de-beurre, toutes choses consistantes et qui ne descendent pas toutes seules, font successivement leur apparition sur les longues tables pour disparaître peu après avec l'aide de solides rasades de vin blanc (les femmes préfèrent le *moelleux*) et de vin rouge, ce dernier évoquant immanquablement pour les hommes les tranchées. Il n'est déjà plus séant de servir du cidre dans les repas de *fricot*, encore que beaucoup de fermiers présents ne se fassent pas faute de vanter les qualités du leur, mais le cidre est à usage domestique, entendez-vous !

Cela dure trois ou quatre heures, rien de sérieux ne peut se faire à moindre temps. Il n'y a guère d'homme qui n'éprouve le besoin d'aller de temps à autre vider sa *boutique à eau* à l'ombre d'une haie, derrière un talus ou un pailler, bref, dans tous les endroits de plein air favorables au recueillement. À l'intérieur, cependant, les sonneurs se lèvent pour saluer d'un air l'arrivée des plats principaux, généralement l'andouille et le rôti, ainsi que du café arrosé de *lambig* qu'on appelle aussi *loufog*. Le lambig inspire l'homme à la bombarde qui exécute en solo un air *pour faire pleurer la mariée*. Pendant que celle-ci écrase une larme, imitée par les femmes de sa parenté et par ceux des convives dont la boisson est montée jusqu'aux yeux, le sonneur, pour casser l'émotion (point trop n'en faut !) annonce un air pour encourager le marié à supporter sa belle-mère. Il le joue et le mime en même temps de son mieux. Alors, la liesse se déchaîne, l'esprit de satire réclame ses droits et s'élève l'air préféré des hommes, *Julig ar Ververo* :*

Je croyais, un'fois marié,
Jul'de la Verveine,
N'avoir du tout à travailler
Julivertonti, Julivertonton,
Jul'de la Verveine,
Les yeux pleurant de peine.

Alors que je dois faire tout
Jul'de la Verveine,
Des crêp's à la bouillie au roux
Julivertonti, Julivertonton,
Jul'de la Verveine,
Les yeux pleurant de peine.

Et ce qui est le plus ardu,
Jul'de la Verveine,
Broyer l'ajonc sous mes pieds nus
Julivertonti, Julivertonton,
Jul'de la Verveine,
Les yeux pleurant de peine.

Certaines femmes protestent, clamant bien haut qu'elles ne réduisent pas leur homme en esclavage, mais que ce Julig est un propre à rien qui se laisserait vivre si on ne le tenait un peu serré comme on doit faire, en vérité, avec la plupart des maris, n'est-ce pas, Corentine ! Et quelques-unes, à voix claires, reprennent les couplets avec une variante fort déplaisante pour l'orgueil masculin :

Julivertonti, Julivertonton,
Jul'de la Verveine,
Aux yeux de hanneton... taine.

Là-dessus, un autre gaillard entreprend de débiter d'autres couplets sur le bonheur du célibat et les désagréments du mariage, des couplets dont certains sont assez lestes pour inciter les femmes à chasser, à coups de serviettes, leurs enfants dehors pour voir si leurs parents y sont. Et une

* En breton, bien entendu.

commère, la coiffe en bataille, nasille les malheurs de la triste épouse d'un ivrogne. Tumultes, rires jaunes. On fait la paix en vociférant ensemble la chanson du Chiffonnier. Il n'y a d'offense pour personne dans la compagnie puisqu'on est en Cornouaille et que le chiffonnier est Léonard. De La Feuillée exactement. Dans le silence poussif qui suit, la mariée, à l'instigation de sa mère ou de son mari, se lève pour interpréter une chanson d'amour qu'elle a soigneusement mise au point pour la circonstance, une chanson de clerc ou de mal-mariée, qu'importe, elle a tous les droits. Des clameurs enthousiastes la récompensent au-delà de son talent quel qu'il soit. On entend une femme dire à qui veut l'écouter : heureusement que les jeunes sont plus sages que les vieux ! Et de fait, les jeunes n'arrêtent plus de se relayer pour détailler le plus bellement qu'ils peuvent, c'est-à-dire d'une voix de tête et avec des tas de notes ornementales, des chansons de sentiment qui font sombrer une partie des gens du *fricot* dans la tendresse. Mais le plus gros succès est pour ceux qui connaissent les airs et les paroles de Théodore Botrel, le meilleur professeur de français pour le moment. Quel homme, celui-là ! On ne comprend pas bien tout ce qu'il dit, mais il dit encore mieux ce qu'on ne comprend pas. On dirait qu'il parle breton en français.

Pierre-Jakez Hélias, *Le Cheval d'orgueil*,
Plon, 1977, rééd. Presses Pocket, 1982, n° 3000.

• POUR LE MEILLEUR ET POUR LE PIRE

(texte n° 11)

Ce soir, j'ai un mariage à 17 heures... Ce qui n'est pas une heure « chrétienne » (les mariages se célèbrent d'habitude le matin entre 10 heures et midi).

Mais mes mariés d'aujourd'hui constituent un cas à part. À eux deux, ils ont largement dépassé cent ans d'âge, ce qui oblige à la discrétion.

Maître B..., qui épouse sa vieille servante, est propriétaire d'une petite ferme au bout de la sente de *la Piau de loup** (l'ancien chemin menait jadis à un moulin, abandonné depuis un siècle, et envahi de ronces).

Quand il est venu me voir pour organiser la « cérémonie », Maître B... m'a dit, laconiquement :

— *Mariai é ti pouin mieux ?* [Se marier, n'est-ce point mieux ?]

J'ai d'abord pensé à un honorable réflexe moral, mais en fait la raison bien cauchoise de ce mariage tardif a dû être largement méditée : une servante — même si elle n'est guère payée en campagne — coûte quand même plus cher qu'une épouse légitime... Au pair c'est, en effet, bin mieux !

Mais qu'importe le mobile de ce mariage, il doit être fêté : Georges sonne les cloches... Le tapis a été déroulé jusqu'au portail et j'ai décoré l'autel.

Le vieux couple doit se sentir bien accueilli, faute d'être entouré : pas de famille, juste un neveu et une cousine. Personne d'autre n'ayant été invité.

À l'heure précise, Maître B... et sa promise montent, côte à côte, le long de l'allée centrale.

Engoncés dans leurs vêtements du dimanche, l'air un tantinet mal à l'aise dans leur nouveau rôle, le sourire figé, ils traînent un peu la jambe.

— Voulez-vous prendre, comme légitime époux, Monsieur B... ici présent ?

— Voulez-vous prendre, comme légitime épouse, Mademoiselle P... ici présente ?

Unis pour le meilleur et pour le pire, les conjoints ont retrouvé le calme. Leurs visages expriment maintenant une réelle satisfaction.

Chacun d'eux croit-il avoir fait « une bonne affaire » avec... ou contre l'autre ? C'est leur secret que, sans doute, nul ne saura jamais...

Quelques mois plus tard, la boulangère me prévient que l'on me demande à *la Piau de loup*.

L'un de mes « nouveaux » mariés serait-il gravement malade ? Pour arriver au bout de la sente, j'enfonce dans la terre épaisse et grasse, et ma soutane « croche » aux ronces.

* La Peau de loup.

Enfin, je me trouve face à la petite *barriai* qui ripe le sol quand on l'ouvre...

Couverte d'un mauvais chaume, la masure de Maître B... est là, allongée le long du talus.

Seul un maigre feu de bois, qui éclaire à peine la pièce en faisant rougeoyer ses murs, me reçoit.

J'aperçois deux ombres sans visage : celle de l'homme filiforme, courbée sur elle-même, et celle de la femme, toute ronde, appuyée, les bras croisés, contre la table (le « meilleur » sera pour elle, ne puis-je m'empêcher de penser...).

Sans attendre — comme il se doit — d'y être invité, je m'assois sur un banc :

— Alors, comment ça va ?

— *Vô veyai...* me dit la femme.

— Le médecin est venu ?

— *Por qui fé ? E pas an'hui qu'on va l'tracher... E plus la peine.* (La respiration sifflante de Maît' B... ne trompe pas en effet.) *Cé là d'dans qu' cha l'tient : la poitreine. E pas pi queu z'autes annai... Li dit qu'i passera pas c't hivai...* [Pour quoi faire ? Ce n'est tout de même pas aujourd'hui qu'on va aller le chercher... Ce n'est plus la peine. C'est là-dedans que ça le tient : la poitrine... Ce n'est pas pire que les autres années mais lui, il dit qu'il ne passera pas l'hiver.]

Le malade intervient d'une voix caverneuse :

— *Por mé é la fin... J'ai pu por ell'... Ell' é eun p'tieu nian. Pas de tête... Auchi por lé papiers, les choses qui fô fé... et pi le rest'... é por tout cha qu'on vô a fé veni...* [Pour moi, c'est la fin... mais j'ai peur pour elle... Elle est un peu simplette... Pas de tête... Aussi pour les papiers, les démarches qu'il faut faire et puis tout le reste... c'est pour ça qu'on vous a demandé de venir.]

— Mais, c'est l'affaire d'un notaire...

— *J'préfer' vô. E vô qui n'zavai mariés.* [Je préfère vous. C'est vous qui nous avez mariés.]

— Voyons, voyons, il ne faut pas désespérer... Avec le printemps qui arrive vous allez reprendre des forces...

Tout en faisant « non » de la tête, Maître B... poursuit son idée :

— *Por la fosse, au chimetiai, qui qui creuse ?* [Pour la fosse, au cimetière, qui est-ce qui creuse ?]

— En général, c'est Gilbert, le garde champêtre...

— *Et por le chercueil, l' cierg' et pi le rest'... é qui ?* [Et pour le cercueil, les cierges et puis le reste... c'est qui ?]

— Les pompes funèbres se chargent de tout... ne vous inquiétez pas...

Mais je réalise soudain l'insolite de la situation où l'on m'entraîne : je suis en effet bel et bien en train d'organiser son enterrement avec le futur défunt lui-même.

La maîtresse qui, elle, semble très à l'aise et considère le décès de son époux comme chose faite, m'offre de boire une goutte... que je refuse, contrairement d'ailleurs au malade qui tend sa tasse en tremblant :

— *Comm' il é an'hui... cha peut pouin i fé de mal.* [Dans l'état où il est aujourd'hui, ça ne peut point lui faire de mal !] déclare l'ancienne servante en lui versant une rasade suffisante pour réveiller un mort !

Tandis que le vieillard savoure doucement sa goutte... je le regarde.

À quoi donc a-t-il pensé durant toute cette vie plantée sur ce même coin de terre... abandonné trois ans seulement en 14-18 pour une tranchée. Où, exactement ?

— *E loin, j' savons plus, mais cha plouvait comm' ichite...* [C'est bien loin, je ne sais plus, mais il y pleuvait, comme ici...]

Quels secrets — qu'on ne trouve pas dans les livres — va-t-il emporter dans sa tombe ?

A-t-il au moins été un peu heureux parfois ?

Certains matins d'été en *buzoquant* au soleil dans le fond de son jardin, le long de la haie de lauriers ? Certains soirs, en mangeant sa soupe au lait, son travail accompli ?

— *I va moui oyou qui é nai.* [Il va mourir où il est né.] me déclare sereinement sa future veuve quand je me lève pour partir...

Une vie et une mort cauchoises ordinaires.

Bernard Alexandre,
Le Horsain, vivre et survivre en pays de Caux,
Plon, 1988, rééd. Presses Pocket, 1990, n° 3027.

• UN TRAVAIL BIEN RÉTRIBUÉ

(texte n° 12)

M. le Curé débourra sa pipe dans le bassin aux offrandes, le cendrier était là-bas sur le rebord du prie-Dieu. Il mit la pipe chaude à l'étui. Il s'agissait maintenant de classer par rues et par maisons ces numéros des *Veillées Religieuses* qu'il allait distribuer aux abonnés. Il manquait trois livraisons. Il souleva les livres et un numéro de *La Croix* tout étalé. À la fin, elles étaient là, sous le paquet de fressure de porc que son frère venait d'apporter. « Ça n'a pas plus de soin... » Une couverture était tachée. Il l'inclina dans le jour gris de la fenêtre pour voir si ça se voyait bien, si, en le donnant de biais... ou bien alors, il n'y avait qu'à le donner, tel que, à Mme Puret la lampiste : elle n'y voit guère ; elle a toujours les doigts pleins de pétrole ; elle croira que c'est elle.

Il y avait aussi, là, sur le plancher et laissée aussi par l'Adolphe, une plaque de fumier d'écurie à l'empreinte d'un talon. M. le Curé se leva et, à petits coups de pointe de soulier poussa l'ordure jusqu'à l'âtre.

— Marthe, on a sonné.

— Quoi ? demanda Marthe en poussant la porte de la cuisine.

— On a sonné, je dis.

Sur la servante, la mince ficelle du tablier départageait les grosses mamelles et le ventre.

— Encore ! Aussi monsieur, vous pourriez un peu aller voir. Toujours monter, descendre, moi, avec mes jambes... mon emphysème... Vous en verrez la fin, à la fin.

On sonna encore une fois.

— Allez un peu voir, vous. Si c'est peu de chose, vous le réglerez en bas. Avec ce temps, ceux qui montent me salissent partout.

Elle avait la figure toute mouillée de graisse.

— C'est en plaçant les bardes de lard, elle dit. Le garde-manger est trop haut. Une a glissé et je l'ai retenue avec la joue.

— Voilà, cria le curé dans le couloir.

Puis il tira les verrous et ouvrit la porte.

— Bonjour, monsieur, dit le gros.

Le maigre aux yeux bleus était là derrière à grelotter dans sa houppelande.

— On ne peut pas donner, dit le curé en les voyant.

Le gros retira son chapeau. Le maigre porta la main en l'air, le regard planté dans le curé.

— Vous n'auriez pas quelque petit travail ? dit le gros.

— Un travail ?

Et le curé avait l'air de réfléchir, mais en même temps il poussait doucement la porte.

— Un travail.

Il ouvrit la porte en plein.

— Entrez, il dit.

Le gros qui avait remis son chapeau l'enleva encore à la précipitée.

— Merci bien, monsieur le Curé, merci bien.

Et il racla ses souliers au racloir, et il entra en courbant un peu l'échine, malgré la haute imposte de la porte.

L'autre ne dit rien, il entra, tout haut et les pieds sales ; il suivait les gestes du curé avec le froid triste de ses yeux bleus.

On entrait dans un couloir charretier parce que la cure avait été dans le temps une maison à seigneurs des champs. Venait après une cour carrée ; dans cette cour, les escaliers s'appuyaient puis montaient à grands élans carrés comme la cour.

— Attendez-moi là, se souvint de dire le curé en regardant les pieds boueux.

Il monta.

Le gros eut un petit sourire en silence.

— Tu vois, ça va aller, il dit. Vingt sous qu'on a dépensés...

— Marthe..., dit le curé en entrant, puis aussitôt :

— Qu'est-ce que tu fais là ?

C'était un plat posé chaud sur la table de bois blanc et là-dedans la fressure grésillait avec des morceaux de foie violets comme des fleurs et des ris en grappe.

— Une « picoche », dit Marthe.

Et elle se mit à verser en mince fil un vin épais à parfum de cep. La graisse bouillante se tut.

— C'est pour ce soir ? demanda le curé.

— Oui.

— Dis-moi, Marthe, sais-tu à quoi j'ai pensé ? Si on profitait de se faire arranger le tuyau de la pompe ?

— Faudrait descendre dans le puits, dit Marthe qui réglait le fil du vin.

— Eh oui, dit le curé.

Elle ne dit rien, puis elle releva le goulot d'un coup sec ; elle porta le plat au feu.

— Et vous le trouverez, vous, celui qui descendra ? Vous savez ce qu'il a dit, le plombier. Il n'avait pas envie de se tuer. C'est un vieux puits, et puis, de ce temps, vous le trouverez, vous ?...

— Écoute : il y en a deux, en bas, qui demandent quelque chose à faire. Ça a l'air de gens qui ont besoin.

— Alors, faut profiter, dit Marthe, parce que, vous savez, le plombier, il n'y descendra jamais, il me l'a dit. S'ils ont besoin, faut profiter.

— Voilà ce dont il s'agit, dit le curé. Nous avons une pompe, et le tuyau de plomb était cramponné contre la paroi du puits. Le crampon ou les crampons ont dû lâcher. Le tuyau s'est décollé, on pourrait dire, et il fait le serpent dans le vide. Il pèse comme ça sur les boulons du haut et ça pourrait s'arracher en plein. J'ai de ces crampons justement. Il faudrait descendre...

— Il est profond votre puits ? demanda le gros.

— Non, dit le curé, non, oui, enfin, pas trop, vous savez, c'est un puits de maison : quinze, vingt mètres au plus.

— Il est loin ?

— Non, il est là.

Le curé marcha vers un côté de la cour et le gros suivait, et l'autre suivait dans sa houppelande. C'était un portillon dans le mur et, dessous, une auge en vieille pierre mangée d'eau. Il ouvrit le portillon, les gonds crièrent et il tomba deux ou trois peaux de rouille sur les dalles.

— Voilà, vous voyez.

Le puits souffla une aigre haleine de plantes de nuit et d'eau profonde. Il y eut le « sssglouf » d'une pierraille détachée et qui tomba. Le curé, très en arrière, se pencha, et en même temps il reculait son derrière et on entendait se crisper ses orteils dans son soulier.

— Voilà, vous voyez.

Il eut l'air de vouloir s'excuser.

— Comme vous êtes deux, dit-il.

Le gros regarda alors son compagnon. Il était là, toujours flottant dans sa houppelande grise. Il n'avait pas de visage, sauf les yeux, les yeux bleus froids, toujours plantés dans la soutane noire du curé mais regardant au travers et par-delà, l'âme triste du monde.

Il tremblait et il avalait péniblement sa salive à grands coups de pomme d'Adam.

— Bon, monsieur le Curé, dit le gros, ça fera, je suis seul, mais ça fera.

Marthe parut au balcon de la galerie.

— Monsieur le Curé, ça va être l'heure de votre leçon de musique.

À ce moment, juste on sonnait. Il alla ouvrir : c'était un petit garçon blond dans un beau paletot de laine.

— Montez, monsieur René, dit le curé, je vous suis.

Il revint vers les hommes.

— Le mur est peut-être un peu mauvais, dit-il.

— Mets-toi là, vieux, dit le gros.

Il y avait, au fond de la cour, une porte. Derrière on entendait courir et crier des lapins.

— Mets-toi là, assieds-toi. Tu n'as pas froid, pas trop ?...

Puis il s'assit à côté et il commença à délacer ses souliers.

— J'aime mieux pieds nus. On se retient des ongles...

Puis il déboutonna son pantalon housarde et il le retira.

— La jambe joue mieux, et puis c'est lourd. Mets-le sur toi, ça te tiendra chaud.

La respiration du puits fumait dans l'air froid de la cour.

— Si j'ai besoin, je crierai, dit-il au moment où il enjamba le rebord.

Il se tenait encore des mains et on voyait encore sa tête. Il regardait en bas dans le noir ; on sentait qu'il était en train d'assujettir ses pieds.

— Je vois les trous, vieux, ça va aller.

Il disparut.

On entendait un air d'harmonium : une spirale de notes montantes qui s'accrochaient trois en trois et dardaient, semblait-il jusqu'au ciel, le balancement d'une tête de serpent.

C'était joué assez habilement par M. le Curé, puis, repris après un silence, par les mains gourdes de M. René.

Le jour diminua.

Sur la galerie de bois, là-haut au premier étage, il y avait une rangée de pots à cactus et un pot avec une touffe de violettes. L'homme regarda les fleurs. La nuit coulait dans la cour comme le fil d'une fontaine ; bientôt, on ne vit plus les fleurs ; la nuit montait jusqu'au deuxième étage.

L'homme se dressa. Il s'approcha du puits, chercha l'ouverture en tâtonnant de la main. Il se pencha. On entendait en bas, semblait-il, une espèce de raclement.

— Hé, il cria.

— Hé, répondit l'autre, d'en bas.

Ça vint au bout d'un moment, tout étouffé dans un matelas d'air.

— Tiens-toi bien, dit l'homme.

— Oui, répondit la voix. Puis elle demanda : — Et toi, là-haut, ça va ?

L'homme revint s'asseoir au moment où Marthe ouvrait la porte et paraissait à la galerie du premier, une lampe à la main.

— Vous y verrez, comme ça, monsieur René ?... Tirez la porte.

Le garçon blond tira la porte. Marthe regarda dans la cour.

— Ils sont partis je crois, dit-elle.

Le gros marcha dans l'ombre. On entendait ses pieds boueux claquer sur les dalles froides.

— Tu es là ? il demanda.

— Oui.

— Donne-moi mes pantalons. C'est fini.

— Fait pas chaud, dit-il encore une fois vêtu.

La maison était toute silencieuse sauf le grésillement d'une friture qui coulait du premier.

Il appela :

— Monsieur le Curé.

La friture empêchait. Il cria :

— Monsieur le Curé.

— Quoi ? demanda Marthe.

— C'est fait, dit l'homme.

— Quoi ? demanda encore Marthe.

— La pompe.

— Ah ! Bon, je vais voir.

Elle rentra dans la cuisine et essaya de donner un coup de pompe à l'évier. L'eau coula. M. le Curé lisait près du poêle dans le grésillement de la friture.

— Ça coule, elle dit.

Il leva à peine les yeux.

— Bon, va les payer.

— Combien je donne ? Ça a été vite fait, somme toute.

— ... et tirez bien la porte...

Mais elle les accompagna, les regarda sortir, puis enclencha durement le loquet, poussa le verrou, mit la barre.

Il tombait une pluie tenace et froide.

Sous le réverbère, l'homme ouvrit sa main. C'était dix sous. Les yeux bleus regardaient la petite pièce et la main toute mâchurée d'égratignures et de boue.

— Tu te fatigueras, dit-il, je te suis une chaîne, moi, malade. Tu te fatigueras, laisse-moi.

— Non, dit le gros. Viens.

Jean Giono, *Solitude de la pitié*,
Gallimard, 1932.

LA SENSUALITÉ : LE REGARD DE MAUPASSANT

Chacun des contes de Maupassant montre l'importance des sens dans son écriture et l'acuité de son regard. Lettres, articles, chroniques en sont aussi le témoignage (textes n° 13 et 14).

Il nous a paru important d'illustrer ce lien que nous avons montré entre la sensualité de Maupassant et sa vision du monde par un extrait de son journal de voyage, Sur l'eau *(texte n° 15), qui, bien que ne retraçant « aucune histoire et aucune aventure intéressante » (dit Maupassant !), contient cependant l'essence de ses idées et sensations. Dans une optique assez négative, Henry James décrit aussi la sensualité de l'écrivain dans son ouvrage* Sur Maupassant, *tout en reconnaissant la valeur de son écriture (texte n° 16).*

• LA VIE D'UN PAYSAGISTE [1]

(texte n° 13)

Vrai, je ne vis plus que par les yeux ; je vais, du matin au soir, par les plaines et par les bois, par les rochers et par les ajoncs, cherchant les tons vrais, les nuances inobservées, tout

1. *Gil Blas* du 28 septembre 1886, in *Correspondance de Guy de Maupassant*, o.c., p. 167.

ce que l'École, tout ce que l'Appris, tout ce que l'Éducation aveuglante et classique empêche de connaître et de pénétrer. Mes yeux ouverts, à la façon d'une bouche affamée, dévorent la terre et le ciel. Oui, j'ai la sensation nette et profonde de manger le monde avec mon regard, et de digérer les couleurs comme on digère les viandes et les fruits.

• À MADAME R.G.D. [1]

(Il s'agit de Marie Bashkirtseff, à qui Guy de Maupassant écrivit, sans la connaître, poste restante, pendant plusieurs mois, à l'initiative de cette dernière.)

(texte n° 14)

« Quel est votre parfum ? Êtes-vous gourmande ? Comment est votre oreille physique ? La couleur de vos yeux ? Musicienne ? »

• IVRESSES DE LA VIE

(texte n° 15)

Certes, en certains jours, j'éprouve l'horreur de ce qui est jusqu'à désirer la mort. Je sens jusqu'à la souffrance suraiguë la monotonie invariable des paysages, des figures et des pensées. La médiocrité de l'univers m'étonne et me révolte, la petitesse de toutes choses m'emplit de dégoût, la pauvreté des êtres humains m'anéantit.

En certains autres, au contraire, je jouis de tout à la façon d'un animal. Si mon esprit inquiet, tourmenté, hypertrophié par le travail, s'élance à des espérances qui ne sont point de notre race, et puis retombe dans le mépris de tout, après en avoir constaté le néant, mon corps de bête se grise de toutes

1. Lettre à Marie Bashkirtseff, avril 1884, in *Correspondance de Guy de Maupassant*, o.c., p. 312.

les ivresses de la vie. J'aime le ciel comme un oiseau, les forêts comme un loup rôdeur, les rochers comme un chamois, l'herbe profonde pour m'y rouler, pour y courir comme un cheval, et l'eau limpide pour y nager comme un poisson. Je sens frémir en moi quelque chose de toutes les espèces d'animaux, de tous les instincts, de tous les désirs confus des créatures inférieures. J'aime la terre comme elles et non comme vous, les hommes, je l'aime sans l'admirer, sans la poétiser, sans m'exalter. J'aime d'un amour bestial et profond, méprisable et sacré, tout ce qui vit, tout ce qui pousse, tout ce qu'on voit, car tout cela, laissant calme mon esprit, trouble mes yeux et mon cœur, tout : les jours, les nuits, les fleuves, les mers, les tempêtes, les bois, les aurores, le regard et la chair des femmes.

La caresse de l'eau sur le sable des rives ou sur le granit des roches m'émeut et m'attendrit, et la joie qui m'envahit, quand je me sens poussé par le vent et porté par la vague, naît de ce que je me livre aux forces brutales et naturelles du monde, de ce que je retourne à la vie primitive.

Quand il fait beau comme aujourd'hui, j'ai dans les veines le sang des vieux faunes lascifs et vagabonds, je ne suis plus le frère des hommes, mais le frère de tous les êtres et de toutes les choses !

Sur l'eau, 1888.

• « SON POINT DE VUE EST... CELUI DES SENS »

(texte n° 16)

[...] Les productions de Monsieur de Maupassant nous apprennent, entre autres choses, que son odorat est exceptionnellement sensible — aussi sensible que celui qui assure aux animaux des bois et des champs la subsistance et la sécurité. [...]

[...] La vie humaine, dans ses pages, apparaît la plupart du temps comme une sorte de concert d'odeurs, et ses personnages sont perpétuellement occupés — ou il l'est pour eux — à les humer et à les identifier, à faire usage de leurs narines avec plaisir ou déplaisir. [...]

[...] Tout aussi puissant est son sens visuel, l'appréciation rapide et immédiate de son regard, qui explique la concision et la vigueur singulière de ses descriptions. Celles-ci ne sont ni étirées, ni détaillées. Son œil choisit sans erreur, sans scrupule, presque sans vergogne — il capte le détail qui contient l'essence même de l'objet ou de la scène, et, en l'exprimant avec la brièveté consommée du maître, nous livre un tableau convaincant et original. La synthèse vient de sa façon de braquer sur son objet ce regard dur, rapide et intelligent. Sa vision du monde est presque toujours une vision de laideur, et même quand elle ne l'est pas, son aisance à généraliser révèle une certaine absence d'amour, une sorte de distance méprisante. Ses observations sont dénuées de toute superstition, de toutes nos complaisances anglaises, de nos superficialités délicates et souvent imaginatives. S'il jette un regard à l'intérieur d'un wagon de chemin de fer par un dimanche d'été, une douzaine d'existences sinistres se profilent en un éclair. [...]

[...] Son point de vue est presque exclusivement celui des sens. [...]

Henry James, *O.c.*

REPÈRES BIOGRAPHIQUES

1850 Naissance de René, Albert, Guy de Maupassant (5 août) à Fécamp (ou, selon d'autres sources, au château de Miromesnil, commune de Tourville-sur-Arques). Sa mère, Laure le Poittevin, est la sœur d'un des grands amis de Flaubert.

1854 La famille s'installe près du Havre.

1856 Naissance d'Hervé, frère de Guy.

1859-1869 Études au lycée Napoléon (futur lycée Henri IV) car la famille s'est installée à Paris. Puis, séparation des parents de Guy qui part à Étretat avec sa mère et son frère. Séminaire d'Yvetot (jusqu'à la seconde), puis rhétorique (première) au collège impérial (lycée) de Rouen. Guy a pour correspondant le poète Louis Bouilhet, ami de Flaubert. Premiers essais littéraires. Reçu bachelier en 1869, année où meurt Bouilhet. Inscription à la faculté de droit de Paris.

1870-1871 Guerre entre la France et la Prusse. Maupassant est mobilisé dans l'intendance à Rouen. Démobilisé, il part à Étretat.

1872 Entrée au ministère de la Marine et des Colonies. Fréquente les guinguettes et canote sur la Seine.

1873-1874 Initition littéraire : travaille sous la direction de Flaubert chez qui il rencontre Zola, Daudet, Edmond de Goncourt, Hérédia.

1875 Premières publications : *La Main d'écorché*, un conte ; *À la feuille de rose, maison turque*, pièce pornographique ; *Une répétition*, théâtre.

1876 Participe au groupe de Médan qui vient de se constituer autour de Zola ; collabore à *La Nation*, écrit dans des revues (sous le pseudonyme de Guy de Valmont).

1877 Premiers troubles de santé dus à la syphilis. Songe à un roman (ce sera *Une vie*).

1878 Passe au ministère de l'Instruction publique (grâce à Flaubert).

1879 Voyage en Bretagne et à Jersey. Publication dans *La Revue moderne et naturaliste* du poème « Une fille ».

1880 Information judiciaire ouverte contre la revue à cause du poème. Cécité partielle d'un œil, troubles cardiaques, il commence à se droguer à l'éther. Mort de Flaubert. Maupassant quitte le ministère et voyage en Corse. *Boule-de-Suif* paraît dans *Les Soirées de Médan* (recueil). Publication du volume *Des vers*. Nombreuses relations féminines (Gisèle d'Estoc, Hermine Lecomte de Noüy).

1881 *La Maison Tellier*. Voyage en Algérie, suivi de chroniques où le romancier dénonce le colonialisme français. Collabore désormais à *Gil Blas* sous le pseudonyme de Maufrigneuse. Grâce à Tourgueniev, Maupassant est connu et apprécié en Russie.

1882 *Mademoiselle Fifi*. Séjour à Menton, Saint-Raphaël. Amitié avec Jules Vallès.

1883 Janvier : troubles graves de la vue.
Février : naissance de Lucien, né « de père inconnu », de Joséphine Litzelman et, sans doute, de Maupassant. *Une vie* paraît en feuilleton dans *Gil Blas*.
Avril : *Une vie* paraît en volume chez Havard.
Juin : *Contes de la bécasse*.
Septembre : mort de Tourgueniev ; Maupassant lui consacre plusieurs articles. *Clair de lune*, recueil de contes.

1884 *Au soleil* ; *Miss Harriet* (contes) ; *Les Sœurs Rondoli* (contes) ; *Yvette* (nouvelles). Liaison avec la comtesse Potocka ; second enfant, Lucienne, de Joséphine Litzelman.

1885 *Contes du jour et de la nuit* ; *Bel-Ami*, d'abord en feuilleton dans *Gil Blas* ; *Monsieur Parent* (nouvelle). Voyage en Italie.

1886 *Toine* ; *La Petite Roque.* Séjours sur la Côte d'Azur ; croisière sur le voilier *Bel-Ami.*

1887 *Mont-Oriol* ; *Le Horla* (recueil) ; *Pierre et Jean,* dans *La Nouvelle Revue.* Naissance d'un troisième enfant, Marthe-Marie ; voyage de plusieurs mois en Afrique du Nord.

1888 L'étude *Le Roman*, parue dans *Le Figaro*, tronquée et modifiée, précède *Pierre et Jean* publié chez Ollendorff. *Sur l'eau* (journal de voyage) ; *Le Rosier de Mme Husson* (contes). Voyage dans le Midi et en Afrique du Nord.

1889 *Fort comme la mort* (roman) ; *La Main gauche* (contes). Mort d'Hervé (frère de Maupassant), interné à l'hôpital psychiatrique de Lyon.

1890 *La Vie errante* (récits de voyages) ; *L'Inutile Beauté* (nouvelle) ; *Notre cœur* (roman). Séjours sur la Côte d'Azur et voyage en Afrique du Nord. Aggravation de la maladie : états maniaco-dépressifs.

1891 *Musotte* (théâtre). L'évolution de la syphilis en arrive à sa phase terminale : troubles de mémoire, paralysie, lésions au cerveau.

1892 Tentative de suicide dans la nuit du 1er au 2 janvier. Entre dans la clinique du Dr Blanche à Passy. Il n'en sortira plus.

1893 *La Paix du ménage* (théâtre). Mort de Maupassant (6 juillet) à quarante-trois ans.

BIBLIOGRAPHIE

1. Ouvrages généraux

Sur Maupassant

ANDRY M., *Bel-Ami, c'est moi*, Presses de la Cité, 1982.

BESNARD-COURSODON M., *Étude thématique et structurale de l'œuvre de Maupassant : le Piège*, A.G. Nizet, 1973.

DUMESNIL R., *Guy de Maupassant*, Tallandier, 1947 (rééd. 1979).

JAMES H., *Sur Maupassant*, rééd. 1987, éd. Complexe, coll. « Le Regard littéraire », trad. d'Évelyne Labbé.

LANOUX A., *Maupassant, le Bel-Ami*, A. Fayard, 1967 (rééd. 1983, Le Livre de Poche).

LUMBROSO A., *Souvenirs sur Maupassant, sa dernière maladie, sa mort*, Bocca, Rome, 1905.

SCHMIDT A.M., *Maupassant*, Le Seuil, 1962.

TASSART F., *Souvenirs sur Guy de Maupassant*, 1911 (rééd. 1962-1963, Nizet).

VIAL A., *Guy de Maupassant et l'art du roman*, Nizet, 1954.

Sur Flaubert et Maupassant

Flaubert et Maupassant, écrivains normands, publications de l'université de Rouen, P.U.F., 1981.

2. Éditions des contes de Maupassant

MAUPASSANT, *Œuvres complètes*, sous la direction de R. DUMESNIL, Librairie générale, 1938. On citera, en particulier, le tome XV : Chroniques, Études, Correspondance de Guy de Maupassant.

Guy de MAUPASSANT, *Contes*, en 2 volumes, par A.M. SCHMIDT et G. DELAISEMENT, chez Albin Michel, 1956-1959.

Certains *contes de la bécasse* ont été repris dans une édition due à M.C. BANCQUART, *Boule de Suif et autres contes normands*, classiques Garnier, 1971.

MAUPASSANT, *Contes et Nouvelles*, texte établi et annoté par L. FORESTIER, préface d'A. LANOUX, NRF, Bibliothèque de la Pléiade, 1974-1979.

3. Numéros spéciaux de revues ou de magazines

Europe, n° 482, juin 1969.

Le Magazine littéraire, n° 156, janvier 1980.

FILMOGRAPHIE

Au cinéma, n'a été adapté de ces contes de chasseurs que *Ce cochon de Morin*, une première fois en 1925, par Victor Tourjansky, avec Nicolas Rimsky (FR, version muette) ; un second film inspiré librement de ce conte a été réalisé par Georges Lacombe (FR, 1933). L'adaptation de Jean Boyer, sous le titre *La Terreur des dames* (FR, 1956), paraît assez peu conforme à l'inspiration de l'écrivain, Noël-Noël y tient le rôle de Morin.

Par contre, plusieurs téléfilms ont été tournés à partir des *Contes de la bécasse*, le caractère « familial » du petit écran se rapprochant de l'art du conteur. On citera, entre autres, *Aux champs* (Claude Santelli, 1989) et *Hautot père et fils* (Claude Santelli, 1980).

À noter aussi un film de recherche sur les divers aspects de l'adaptation cinématographique de textes littéraires à travers ceux de Maupassant, sous forme d'extraits de films et d'entretiens. Deux lectures sont d'emblée présentées, en conflit ou non : celle du réalisateur, celle du spectateur. Diverses conceptions de l'adaptation cinématographique sont confrontées : révéler la force poétique et dramatique ou donner l'illusion du vrai. Ce film s'appelle *Maupassant. De l'écrit à l'écran.* Réalisation : J.-C. Tertrais, 1982, E.N.S. Fontenay-St-Cloud. Distribution : S.F.R.S. Durée : 27 min.

TABLE DES MATIÈRES

DOSSIER HISTORIQUE ET LITTÉRAIRE

Achevé d'imprimer
par Maury-Eurolivres S.A.
45300 Manchecourt

Imprimé en France
Dépôt légal : novembre 1991

LIRE ET VOIR LES CLASSIQUES

LISTE DES OUVRAGES PARUS :

HONORÉ DE BALZAC
EUGÉNIE GRANDET
LA PEAU DE CHAGRIN
LE PÈRE GORIOT
LE LYS DANS LA VALLÉE

CHARLES BAUDELAIRE
LES FLEURS DU MAL

ALPHONSE DAUDET
LE PETIT CHOSE
LES LETTRES DE MON MOULIN

DENIS DIDEROT
JACQUES LE FATALISTE

GUSTAVE FLAUBERT
L'ÉDUCATION SENTIMENTALE
TROIS CONTES
MADAME BOVARY

HOMÈRE
ODYSSÉE

VICTOR HUGO
NOTRE-DAME DE PARIS

PIERRE CHODERLOS DE LACLOS
LES LIAISONS DANGEREUSES

MADAME DE LA FAYETTE
LA PRINCESSE DE CLÈVES

JEAN DE LA FONTAINE
FABLES

GUY DE MAUPASSANT
BEL-AMI
LE HORLA ET AUTRES RÉCITS FANTASTIQUES
PIERRE ET JEAN
UNE VIE

PROSPER MÉRIMÉE
COLOMBA ET MATEO FALCONE - NOUVELLES CORSES
CARMEN ET AUTRES NOUVELLES

CHARLES DE MONTESQUIEU
LETTRES PERSANES

EDGAR ALLAN POE
HISTOIRES EXTRAORDINAIRES

ABBÉ PRÉVOST
MANON LESCAUT

EDMOND ROSTAND
CYRANO DE BERGERAC

GEORGE SAND
LA MARE AU DIABLE

STENDHAL
LA CHARTREUSE DE PARME
LE ROUGE ET LE NOIR

JULES VALLÈS
L'ENFANT

JULES VERNE
LE TOUR DU MONDE EN QUATRE-VINGTS JOURS

VOLTAIRE
CANDIDE ET AUTRES CONTES

EMILE ZOLA
AU BONHEUR DES DAMES
GERMINAL
LA CURÉE
L'ASSOMMOIR

Notes

bruante = bunting
bruante jaune = yellow hammer
fauvette = warbler
fauvett d' hiver = hedge sparrow
" des roseaux = reed warbler

loriot = oriole
loriot jaune = golden oriole

Pinson = finch
Pinsonne = chaffinch
Pintade = guinea fowl
Roitelet - Wren

Notes

RECEVEZ 2 PLACES DE CINÉMA
OU UN LIVRE DE VOTRE CHOIX
DANS LA COLLECTION
LIRE ET VOIR LES CLASSIQUES
EN RÉPONDANT VITE À CE QUESTIONNAIRE !

Afin de mieux vous satisfaire, les éditions Presses Pocket sollicitent votre concours et vous remercient de bien vouloir répondre à ce questionnaire.
Nous offrirons aux 50 premières réponses qui nous parviendront (le cachet de la poste faisant foi) 2 places de cinéma dans des salles Gaumont. Les 50 premières réponses suivantes recevront le livre de leur choix dans la collection *Lire et Voir les Classiques.*

Ce questionnaire est à retourner à :

PRESSES POCKET
Questionnaire "Lire et Voir les Classiques"
12, avenue d'Italie
75627 Paris cedex 13

Les gagnants recevront leur cadeau au plus tard le 31/03/1992.

- Avez-vous acheté ce livre en :

librairie
grand magasin ou FNAC
maison de la presse
supermarché ou hypermarché
autres, à préciser : ____________________

- Veniez-vous dans le but d'acheter ce livre en particulier ?

oui ☐ non

3. - Avant d'acheter ce livre, connaissiez-vous déjà la collection "Lire et Voir les Classiques" de Presses Pocket?

☐ oui ☑ non

4. - Avez-vous acheté ce livre :

- par nécessité scolaire (texte étudié en classe ou conseill[é] par votre professeur)

  Et dans ce cas, l'avez-vous acheté dans la collection "Lir[e] et Voir les Classiques" de Presses Pocket parce que :

☐ cette collection est exigée par votre professeur
☐ cette collection est conseillée par votre professeur
☐ cette collection vous a été conseillée par votre libraire
☐ c'est la première collection dans laquelle vous l'ave[z] trouvé
☐ vous le vouliez dans cette collection que vous apprécie[z] particulièrement
☐ vous connaissiez cette collection par des camarades q[ui] l'ont déjà

- simplement par intérêt personnel (précisez, si vous [le] souhaitez) : ______________________

  Et dans ce cas, l'avez-vous acheté dans la collection "Li[re] et Voir les Classiques" de Presses Pocket parce que :

☐ cette collection vous a été conseillée par des amis o[u] parents
☐ cette collection vous a été conseillée par votre librair[e]
☑ c'est la première collection dans laquelle vous l'av[ez] trouvé
☐ vous le vouliez dans cette collection que vous appréci[ez] particulièrement
☐ vous en avez entendu parler dans la presse
☐ vous avez souhaité le lire (ou relire) du fait de son actuali[té] théâtrale ou cinématographique

5. - Avant de vous décider à acheter ce livre en Presses Pocket, avez-vous comparé avec d'autres éditions :

☑ oui ☐ non

Si oui, lesquelles :

☑ Livre de Poche ☐ petits classiques

☐ Folio (Larousse, Bordas)

☐ J'ai Lu ☐ autres, à préciser :

☐ Garnier Flammarion ______________

Si oui, pour quelles raisons avez-vous renoncé à l'acheter dans l'une de ces marques : ______________

____

. - Classez de 1 à 7 les raisons qui vous ont incité à l'acheter dans la collection "Lire et Voir les Classiques" de Presses Pocket :

☐ la qualité du papier

☐ le prix

☐ le cahier iconographique en couleurs

☐ la couverture

le dossier historique et littéraire

le fait que vous ayez déjà d'autres titres dans cette collection

autres, à préciser : ______________

- De manière générale, classez de 1 à 7 les critères auxquels vous êtes le plus attentif lorsque vous achetez une œuvre classique en format poche :

la qualité du papier

le prix

la couverture

l'éditeur

☐ la qualité de la documentation (préface, dossier historique, etc.)

☐ le fait que vous ayez déjà d'autres titres dans cette collection

8. - Quelles sont vos éventuelles critiques vis-à-vis de l[a]
collection "Lire et Voir les Classiques"?

___

___

9. - Quelles sont vos éventuelles suggestions pour amélior[er]
cette collection?

___

___

10. - De manière générale, combien de livres lisez-vou[s]
chaque année?

☐ en format poche : ___

☐ en grand format : ___

11. - Par ailleurs, classez de 1 à 5 les 5 principaux autres typ[es]
de romans que vous lisez régulièrement?

☐ des best-sellers (comme P.L. Sulitzer, etc.)

☑ des romans des grands auteurs du xxe siècle (comm[e]
Camus, Céline, Sartre, etc.)

☐ des prix littéraires (Goncourt, Renaudot, etc.)

☐ des romans contemporains

☐ des biographies

☐ des œuvres de théâtre

☐ des œuvres de poésie

☐ des livres de sciences humaines (philosophie, politiqu[e],
etc.)

☐ des romans policiers/d'espionnage
☐ des romans de science-fiction/de fantastique
☐ autres, à préciser : ____________________

12. - Classez de 1 à 3 les trois principaux éditeurs en format poche dont vous achetez régulièrement des livres, tous genres confondus :

☑ Livre de Poche ☑ Folio
☐ Presses Pocket ☑ J'ai Lu
☐ Points Seuil ☐ 10/18
☐ autres, à préciser : ____________________

3. - Quel(s) journal(aux) et magazine(s) lisez-vous régulièrement ?

____

____

4. - Quelle(s) radio(s) écoutez-vous régulièrement ?

____

5. - Allez-vous au cinéma...

☐ jamais ☐ rarement (1 fois par an)
☑ de temps en temps (3 ou 4 fois par an) ☐ régulièrement (1 ou 2 fois par mois)
☐ très régulièrement (au moins 1 fois par mois)

uel genre de films appréciez-vous ?

____

. - Regardez-vous la télévision...

jamais ☐ rarement
de temps en temps (1 ou 2 fois par semaine) ☑ régulièrement (tous les jours ou presque)
très régulièrement (au moins 2 heures par jour)

uel genre d'émissions regardez-vous ?

____

17. - Etes-vous...

☑ un homme ☐ une femme

18. - Etes-vous... ?

☐ lycéen
☐ dans la vie active
☐ étudiant
☐ autres, à préciser : Retraité

19. - Habitez-vous une ville de...

☐ moins de 2 000 habitants
☐ 2 000 à 20 000 habitants
☐ 20 000 à 100 000 habitants
☑ plus de 100 000 habitants
☐ l'agglomération parisienne

Nom : ____

Prénom : ____

Age : ____

Adresse : ____

____

Code postal : ____ Ville : ____

N° de téléphone : ____

Le livre de la collection "Lire et Voir les Classiques" que vous souhaitez recevoir si vous êtes parmi les gagnants : ____

____

Notes

Rouge-gue - Redstart. Pinson - Finch
fauvette - Warbler. Roitelet - Wren.

Tous les hommes rêvent, Mais ceux
qui rêvant le tour sont dangereux.
Ils sont capables de mettre en oeuvre
les rêves pour les réaliser.

"Le Monde est dangereux à vivre
Non à cause de ceux qui font le
mal mais à cause de ceux qui
Regardent et laissent faire"

Notes

Notes

Notes

Notes